# CONTENTS

서론은 짧게

**01** 꿈 꾸지 마라        01

**02** 타인의 실패에서 기쁨을 느낀다면...        03

**03** 하고 싶은 일을 찾지 못해도 좋다.        06

**04** 몸을 가꾸어야 하는 이유        08

**05** 불안과 따분함 사이        10

**06** 가장 행복했던 시간이란        13

**07** 돌이킬 수 없는 선택        15

**08** 세대차이가 아니다.        18

**09** 꾸준히 하는 방법.        20

**10** 나트론 호수를 아시나요?        21

**11** 니체        23

**12** 동백꽃        25

**13** 맛 집 좋아하시죠?        27

**14** 모나크 나비        29

**15** 무당벌레        31

**16** 벚꽃나무        33

**17** 무엇을 원하는가요?        35

**18** 지금 원하는 것과 정말 원하는 것        37

**19** 자기관리는 오히려 쉬운 일이다        38

**20** 실패가 나를 성공시킨다        40

# CONTENTS

**21** 왜 자꾸 힘들었던 기억을 떠올리며 42
또 다시 힘들어 할까요?

**22** 통제할 수 있는 일을 통제하자 44

**23** 아이작 뉴턴 46

**24** 아타카마 사막 49

**25** 암벽등반 51

**26** 어니스트 밀러 헤밍웨이 53

**27** 바르게 사는 것이 이익이다 56

**28** 왜 불안할까요. 58

**29** 왜 우리는 행복했던 기억보다도 불행했던 기억들, 60
힘들었던 기억들이 더 자주 떠오를까요?

**30** 무엇을 믿나요? 63

**31** 나도 누군가의 희망이 될 수 있을까요? 65

**32** 상상훈련 67

**33** 자존감을 높이는 방법. 68

**34** 새벽형 인간 72

**35** 침팬지와 인간 75

**36** 좋은 게 좋은 것일까? 77

**37** '중용' 들어보셨죠? 79

**38** 태평성대에는 영웅이 필요가 없다. 81

**39** 플라나리아 83

**40** 필요하고, 도움이 되는 일들은 하기 싫은 경우가 많고, 85

**41** 할랜드 데이비드 샌더스 87

# CONTENTS

**42**  행복은 지금 뿐이다.                                          90

**43**  호랑이와 사슴                                                92

**44**  스티븐 윌리엄 호킹                                            94

**45**  타고난 것이 나는 안 된다는 사람들                              97

**46**  힘든 상황에 처했을 때, 왜 아무도 도와주지 않을까?             100

**47**  열정은 어디서 나올까요?                                      101

**48**  꿈, 목표를 가지라는 이야기 자주 듣죠.                         104

**49**  내 생각 밖을 생각할 수 있을까요?                             106

**50**  힘 빼고! 힘 빼고! 힘 빼고!                                    108

**51**  무엇이든 나로 인한 것이라는 생각이                           110
        기반에 있어야만 한다.

**52**  아프지 않은 것이 더 위험하다.                                112

**53**  쓴 맛                                                       114

**54**  조립한 장난감이 부서졌다.                                    117

**55**  로맹 가리라는 작가를 아시나요?                               119

**56**  열등감                                                      124

**57**  구독자 여러분 잘 지내십니까?                                 126

**58**  자전거를 타는 법                                            128

**59**  아기들이 우는 이유                                          130

**60**  휴대폰을 왜 멀리해야하죠?                                    132

**61**  책은 짧게 읽자.                                             134

**62**  쟁기꾼 스님 이야기                                          137

**63**  아들러                                                      139

# CONTENTS

**64** 정조대왕   142

**65** 방글라데시 행복 이야기   144

**66** 당당함과 겸손함, 거만함과 비굴함.   147

**67** '힘내' 라는 말이 위로가 되지 않는 이유는?   149

**68** 작심삼일의 이유.   151

**69** 돈을 많이 버는 방법   153

**70** 현재의 고통에 집중하는 법   156

**71** 강한 멘탈을 갖고 싶다면   158

# 서론은 짧게

저는 성격이 좀 급한 면모가 있습니다. 모든 부분에서 그렇지는 않지만, 해보지 않았던 일을 새로 시작할 때 두드러집니다. 새로운 일을 시작 할 때, 모르는 것이 너무 많기 때문에 저는 꼭 실천을 먼저 하려고 합니다. 마치 갓 걸음마를 하기 시작한 아기와 같습니다. 이 아기가 걷는 방법에 대해 공부하고 걷지는 않잖아요. 이래저래 하다가, 넘어져도 보고, 주변 붙잡을 것들을 붙잡아도 보고, 하다가 걷게 되잖아요.

어른이 되어서는 무슨 일이든 먼저 글로 배우고 실천하려고 하게 되죠. 이 부분이 너무 지나치다고 생각을 합니다. 아예 공부를 할 필요가 없다는 이야기는 아닙니다. 다만, 공부에 치중하는 경향이 있기 때문에, 갓난아기처럼 아무것도 배우지 않고도 걸음마에 맞닥뜨리는 자세가 조금 더 필요하다는 이야기입니다. 이 책이 독자분들의 어떠한 도전이든, 실천이든 조금이나마 도움이 되었으면 하는 마음입니다.

서론은 이쯤하면 충분하다 생각이 듭니다. 본론으로 바로 들어가도록 하겠습니다.

# 01.
## 꿈 꾸지 마라

꿈꾸지 마라.

꿈꾸지 마십쇼. 자칫하면 무례하고 거만한 말로 들리겠지만, 그렇지 않습니다. 제 이야기를 좀 들어보시기 바랍니다.

꿈, 목표, 장래희망은 비현실입니다. 현실이 아니죠. 비현실적인 특성이 있습니다. 단어 자체에서 현실이 아님을 내포하고 있죠. 이 점을 명확히 인지해야 합니다.

우리는 현실적인 일을 합니다. 본인이 현실적이라고 생각하는 일을 합니다.

보디빌더는 웨이트트레이닝을 하지 발레를 하지 않습니다. 그게 본인에게 현실적인 일이니까요. 납득이 가시죠?

시험에 합격한 사람들은 공부를 하지, 유튜브나 보고 있지 않습니다. 그게 본인에게 현실적인 일이니까요. 비만인 사람은 햄버거와 피자를 먹지, 닭가슴살과 샐러드를 먹지 않습니다. 그게 본인에게 현실적인 일이니까요. 무식한 사람은 의미 없는 영상이나 만화나 볼 뿐이지, 책을 읽지 않습니다. 그게 본인에게 현실적인 일이니까요. 교양이 없는 사람은 낮은 수준의 저속한 대화와 그러한 문화가 배어있는 컨텐츠를 선호하지, 지적으로 높은 수준을 요구하는 강의나 컨텐츠를 선호하지 않습니다. 그게 본인에게 현실적인 일이니까요.

저도 글을 쓰면서 스스로도 기분이 좀 나빴습니다. 저도 찔리는 부분이 있기 때문이죠. 그런 겁니다. 나는 내가 생각하기에 현실적인 일만을 합니다.

그러기에 꿈과 목표, 장래희망을 설정하는 순간, 그것들을 비현실적인 요소로 설정하고 벽을 만들게 되는 겁니다.

그렇다면, 정말 내가 현실적으로 나아지려면 어떻게 해야 할까요? 내가 행동하는 것 자체가 현실인 겁니다. 내가 꿈 꾸는 것이 현실이 아니라, 내가 지금 당장 행동하고 실천하는 것이 현실적인 겁니다.

오늘 말고 지금, 내가 내릴 수 있는 선택을 하고 그것을 현실적인 일로 만드십시오. 누워있다면 일어나서 운동을 할 것이고, 점심으로 햄버거를 먹을지, 튀김덮밥을 먹을지 고민하고 있다면, 샐러드를 먹으러 갈 것이고, 유튜브를 보며 킥킥거리고 있다면, 당장 종료버튼을 누르고 책을 읽으십시오. 하다못해 유튜브에 있는 테드(TED) 강의라도 들어보십시오.

꿈꾸는 일은 비현실적이고, 실천하는 일은 현실적입니다.
무엇을 꿈꾸고 있는지가 중요한 것이 아니라
무엇을 실천하고 있는지가 중요합니다.

당신에게 현실적인 일은 무엇인가요?

## 02.

## 타인의 실패에서 기쁨을 느낀다면...

저는 텔레비전을 잘 보지 않습니다만, 요즘 인기 있는 프로그램들을 접하다보면, 타인의 불행이 깔려있다는 생각이 들더라고요. 물론 다 그런 건 아니지만요. 이혼한 남녀가 출연한다거나, 문제가 있는 아이와 그 부모가 출연한다거나, 실패하고 있는 자영업자가 출연한다거나 말이죠. 이렇게 불행한 타인을 보면, 은근한 쾌감이 느껴집니다. 이것을 인정한다는 것 자체가 꺼려지기는 하지만, 사실은 사실이죠. 독일어에 '샤덴플로이데' 라는 단어가 있습니다. 타인의 실패나 불행고통에서 느끼는 기쁨을 가리킵니다. 쉽게 접하려면, 분명 나는 결혼생활을 아주 행복하게 잘하고 있는데, 아주 슬픈 발라드 음악을 듣는 것을 좋아하는 것과 같죠. 그 슬픈 감성이 좋아서 듣는다고는 하지만, 실제로 슬픈 발라드 음악을 들을 때 활성화 되는 뇌 영역은 쾌감을 느낄 때 활성화되는 영역입니다.

무튼 이렇게 우리는 인정하기 싫든 인정하든 타인의 불행이나 고통에서 일부 기쁨을 느낄 수 있습니다. 그런데 이 쾌감, 기쁨은 아무런 쓸모가 없죠. 쾌감과 기쁨은 정말 조심해서 다뤄야 하는 것이 중독이 될 수 있고, 여기서 보람을 느낄 수도 있습니다. 가치 있다고 여길 수 있다는 뜻이죠.

왜 타인의 실패에서 우리는 기쁨을 느낄까요? 진화 심리학적으로 보겠습니다. 아주 과거 원시시대로 돌아가 봅시다. 생산량, 식량 파이 자체가 작습니다. 일부는 굶어죽기도 하죠. 이때, 경쟁자가 다치거나 아프다면, 내가 생존할 확률이 높아지겠죠? 이 기전입니다. 우리는 생존확률을 높이는 행위나 상황에서 쾌감을 느끼도록 진화했습니다. 그러니 맛있는 음식을 먹을 때 기분이 좋고, 상한 음식을 먹을 때 기분이 나쁘죠. 당연한 겁니다. 타인의 실패에 은근한 기쁨을 느끼는 것도 그 이유가 과거 아주 오랜 기간 이것이 우리의 생존확률을 높였기 때문 인거죠. 당시로서는 의미 있는 기쁨이었죠.

반면, 현대 사회인이 해야 하는 공부나 업무는 쾌감이 느껴지지 않죠. 이러한 일들은 원래 생존확률을 높인다고 인식되지 않거든요. 아주 먼 과거로부터 진화해온 우리 인류가 공부하거나 현대의 일반적 업무를 본다고 해서 생존확률이 높아지진 않았을 거거든요. 그러니 당연히 공부랑 일은 재미가 없는게 맞죠. 생존과 전혀 연관이 없는 일로 여겨지는 것이 당연하고요. 반면 먹방이나 성욕관련 영상이나 등등은 아주 원초적인 감각과 연관이 되어 있어서 직접적으로 와닿죠.

아무튼, 현대사회는 더 이상 그렇지 않아요. 타인의 실패가 더 이상 자기 자신의 생존확률을 높이지 않아요. 타인의 실패는 딱히 좋은 일이 아닙니다. 앞서 공부와 업무의 예시처럼 쾌감과 의미 있는 일 및 생존 확률과의 연관성이 끊어진 경우가 많습니다. 과거인류에게 맛있는 음식을 먹으면 쾌감을 느끼게 하여 또 다시 음식을 찾게끔 만드는 구조는 생존확률을 높였지만, 현대인류에게 맛있는 음식을 먹으면 쾌감을 느끼게 하는 구조는 비만을 유발하고 수명단축을 유발 하죠. 또 현대사회는 타인을 돕는 능력이 뛰어나면 뛰어날수록 오히려 더 잘 살 확률이 높습니다. 타인을 아주 잘 치료하는 의사는 일반적으로 더 잘 살고요. 타인의 입맛에 아주 잘 맞는 요리를 하는 요리사는 일반적으로 잘 삽니다. 타인이 필요하고 좋아하는 물건을 잘 만드는 사업가는 일반적으로 잘 삽니다. 이렇듯 더 이상 우리는 타인의 불행에 기쁨을 느낄 이유가 없습니다.

그럼에도 우리는 그렇게 진화해왔기에 타인의 불행에 기쁨을 느끼다가도, 아, 왜 아무런 이득이 없는데도 나는 기뻐할까? 나는 참 사악하다는 죄책감에 사로잡히는 거죠. 사악한 것이 아니라 과거 아주 오랜 기간 정말 그랬으니까 그렇게 느낄 수 있습니다. 알기만 알면 됩니다. 더 이상 타인의 불행은 나의 생존확률을 높이지 않는다고요.

이를 깨닫고 사회적으로 더 도움이 되는 사람, 타인을 더 적극적으로 도울 수 있는 사람이 되어야 겠다고 의식하고 인지하고 있으면 됩니다.

그러니까 실제로 타인의 실패에서 쾌감이 들더라도 기뻐할 이유가 더 이상 없고, 오히려 우리는 타인을 도우면서 기쁨을 느끼려고 노력을 해야 한다는 것이 결론입니다.

# 03.
## 하고 싶은 일을 찾지 못해도 좋다.


'하고 싶은 일을 찾아라.'
'네가 원하는 것을 찾아라.'
특별한 말을 해줄 것만 같은 멘토의 강의를 들어봐도 결국은 저런 내용입니다. 내가 정말 하고 싶은 일을 찾게 되면 저절로 노력하게 되고 저절로, 자발적으로 노력을 하게 되면, 성공은 따놓은 당상이다. 성공은 저절로 얻어지는 결과가 될 것이다.

저는 이 조언이 참 싫습니다.
비유하자면, '먹고 싶은 음식을 먹어라.' 30 '입고 싶은 옷을 입어라.' 이런 내용과 같습니다. 아니, 뭐 어쩌란 건지 싶습니다. 당연한 말처럼 들립니다. 재미난 게 예를 들어 제가 짜장면이 먹고 싶어서 먹었다고 합시다. 그렇다고 해서 매일 매일 짜장면을 먹고 싶은 것은 아니죠. 이처럼 제가 하고 싶은 일을 찾았다고 하더라도 매일 매일 그 일을 하고 싶진 않겠죠. 매일 짜장면을 먹을 수는 없는 것처럼요.

하고 싶은 일도 먹고 싶은 음식이 매일 바뀌듯 바뀌는 겁니다. 그런데 찾으면 뭐합니까. 오늘은 짜장면이 먹고 싶었다가, 내일은 짜장면이 먹기 싫을 수도 있는거죠. 그런데 오늘 좋아하는 일을 찾으면 뭐합니까. 내가 하고 싶은 일을 찾더라도 인생은 해결되지 않습니다.

정확히 말하자면, 잘하고 싶은 일을 찾아야 하고, 하기 싫어도 할 수 있는 일을 찾아야 하는 겁니다. 그래야만 성공의 근처에라도 갈 수 있습니다.

세계 최정상 보디빌더는 지옥 같은 훈련을 하고 싶은 것이 아니라, 보디빌딩을 잘하고 싶은 것일 뿐이죠. 그 사람들도 운동 쉬고 싶습니다.

전국 1등 학생은 허리 아프고 목, 어깨 아픈 공부를 하고 싶은 것이 아니라, 시험성적을 잘 받고 싶은 것일 뿐이죠. 걔들도 공부 싫어합니다.

하고 싶은 일을 찾아봤자 소용없습니다. 하기 싫어도 할 수 있는 일을 찾아야 합니다.

그리고 엄밀히 말하자면, 하고 싶은 일을 하기 위해서는 하기 싫은 일을 해야만 합니다. 역설적이게도요.

예로, 내가 잘하고 싶은 것은 보디빌딩이고 공부라고 합시다.
보디빌딩 포징을 아무리 최정상급으로 할 수 있더라도, 훈련을 하지 않아 몸 상태가 좋지 않다면, 의미가 없습니다. 운동을 해야만 합니다. 내가 하고 싶은 보디빌딩 대회 그랑프리가 되려면 내가 하기 싫은 힘든 훈련을 견뎌내야 하는 거죠.

내가 시험 푸는 문제 스킬이 아무리 최정상급이라고 하더라도, 공부를 하지 않아 그 문제 풀 스킬을 사용할 개념이 없다면, 의미가 없습니다. 공부를 해야만 합니다. 내가 하고 싶은 전국 수석이 되려면 내가 하기 싫은 지겨운 공부를 견뎌내야 하는 거죠.

그러니까, 내가 하고 싶은 일을 못 찾았더라도 전혀 문제가 없습니다. 내가 싫어도 할 수 있는 일만 찾으면 됩니다.

# 04.
## 몸을 가꾸어야 하는 이유


저는 제 자신에게 의구심이 들 때 몸을 만듭니다.

사람들은 미래가 불안하면, 현재에 충실하려는 경향이 있습니다.

인생은 지금뿐이니 즐기자. 같은 욜로나 소소하더라도 지금 이 순간 확실한 행복을 즐길 수 있는 것이 좋다는 소확행 역시 미래는 어찌 될지 모르니 지금에 충실하자는 측면에서 같습니다.

지금 이대로 꾸준히 열심히 산다고 해서 내 미래가 바뀌지 않을 것을 알기에 한탕주의가 생기기도 합니다. 코인에 주식에 부동산에 영끌하는 것이 이를 반영한다고 생각합니다.

모두 다 미래가 불안하고 확실하지 않기에 나타나는 현상으로 볼 수 있겠습니다.

모두 일리가 있는 선택이라고 생각합니다. 공부를 열심히 한다고 해서 무조건 좋은 대학교에 진학할 수 있는 것도 아니고, 공무원 시험 준비를 진짜 열심히 한다고 해서 공무원 시험에 합격할 수 있는 것도 아니죠. 대기업 입사 준비를 정말 열심히 해도 될지 모릅니다. 내가 자영업, 사업을 시작해서 정말로 열심히 해도 망할지도 모르죠. 이렇게 열심히 해도 미래를 알 수가 없으니까, 보장되어 있지 않으니까, 미래는 어찌 될지 모르니까 차라리 지금 이 순간에만 충실하며 살겠다는 거죠.

그렇지만, 최소 내가 정말 바꿀 수 있는 것에 노력할 준비는 되어 있는가는 고민해봐야 합니다. 열심히 하면 무조건 바뀌는 미래가 있다면, 그 때는 내가 열심히 할 수 있겠냐는 말입니다.

운동은 정말 그렇습니다. 내가 열심히 하면 무조건 바꿀 수 있는 미래가 보장되어 있습니다. 경쟁자라는 변수가 없잖아요. 자기와의 싸움이죠. 정말 본인이 잘 한다면 좋은 결과를 얻을 수 있는 일입니다. 비포, 에프터 사진을 걸어두고 당신도 할 수 있다는 광고 글은 팩트이긴 하죠.

이렇듯 나는 정말 노력할 준비가 되어 있는지 확인할 수 있는 좋은 방법은 운동입니다. 저도 제 자신에 대한 의구심이 들 때가 많습니다. 정말 내가 열심히 할 의지가 있는가, 각오가 되어 있는가. 싶을 때 저는 몸부터 만듭니다.

만들어 가다보면 신기하게도 마음이 잡힙니다. 열심히 하니까, 절제하니까 되구나. 하는 감정이 자꾸 생깁니다. 그 감정은 제가 하는 다른 일에도 영향을 미칩니다. 아 공부 열심히 하고 치료 열심히 하니 환자가 낫구나. 하니까 되구나. 하는 마음으로 바뀝니다.

거울을 보며 나를 제 3자의 눈으로 인식 할 때 역시 자신감이 생깁니다. 이 자신감은 단지 내가 거는 최면이 아니라 실질적인 무언가구나. 체감할 수 있기에 그 작용이 강합니다.
좀 더 자기 자신을 믿기 위해서, 미래가 없어서 현재에 충실하는 것이 아니라, 미래를 위해서 현재에 충실하기 위해서, 그러한 마인드 세팅을 위해서 저는 운동을 정말 열심히 할 것을 추천 드립니다.

## 05.
## 불안과 따분함 사이


우리는 언제 무기력해질까요?

내 노력과 결과 간의 상관관계가 없거나 약할 때 무기력해집니다.

다시 말해, 열심히 하나, 대충 하나 결과가 같을 때 무기력해집니다.

보통 월급이 그렇습니다. 인센티브가 크다면 모르겠지만, 대부분 월급제죠. 저도 그렇습니다. 제가 일을 좀 더 한다고 해서 결과인 월급이 더 오르는 것도 아니고, 좀 못하고 게으르게 한다고 해서 월급이 떨어지는 것도 아니죠.

내 노력과 월급이 별 상관이 없다 이 말입니다.

회사원이나 공무원도 마찬가지죠. 기업이나 국가나 월급을 받는 개인의 노력과 성과 등을 세밀하게 평가하지 않습니다. 투박하게 나누고 간편하게 분류하여 결과를 배분하죠. 그게 효율적이긴 합니다. 개인 개인 모두의 업무를 세밀하게 평가하기 위해선 또 그만큼의 인건비가 드니까요. 사원이면 사원, 대리면 대리, 차장이면 차장 , 9급이면 9급 7급이면 7급 그에 맞게 월급이 배분됩니다.

얼마나 잘했는지 열심히 했는지 보다도 내가 사원인지 차장인지에 따라 9급인지 7급인지에 따라 나뉘죠.

그러다보면 삶에 회의감이 생깁니다. 열심히 하든 안하든 바뀌는 것이 없다면 내가 바보도 아니고 내 정력과 감정을 소모해가며 열심히 할 이유가 없어지는 것 아니겠습니까. 당연히 회의감이 오고, 허무함이 오며, 이게 번아웃인가 싶은 느낌이 오죠.

그렇다고 회사를 직장을 그만두라는 것은 아닙니다. 월급을 내 발전의 수단으로 두라는 것입니다. 월급을 통해 내 노력과 결과 간의 상관관계가 큰일을 하라는 거죠.

저는 운동이 참 좋다고 생각합니다. 특히 보디빌딩을 저는 좋아하는데요. 이 운동이 참 좋은 것이 열심히 하는 만큼 실력이 느는 것을 체감할 수 있습니다. 또 반대로 열심히 하지 않으면 쇠퇴하는 것 역시 체감할 수 있죠. 내 노력에 따라 결과가 바뀝니다. 상관관계가 큽니다.

삶에 대한 열정을 잃지 않기 위한 방법으로 운동은 참 좋습니다.

결과가 가변적이어야 우리는 열심히 하게 됩니다. 시험에 합격할 수도 있고, 불합격할 수도 있어야 열심히 합니다. 무조건 합격하거나 무조건 불합격한다면 열심히 하지 않죠. 이 가변성은 열심히 하려는 열정을 부르는 동시에 불안감을 부릅니다.

결과가 고정되어 있다면 열정은 생기지 않습니다. 대신 안정감은 생기게 되죠. 고정되어 있으니까요.
인간은 둘 다 원합니다. 열정적으로 살기 원하면서도 안정적으로 살기 원합니다.

둘 다 동시에 이룰 순 없습니다. 열정은 불안을 동반하고요. 안정은 열정을 죽입니다. 따뜻한 온탕에 있으면서도 시원한 냉탕에 있을 수는 없죠.

온탕 갔다가 냉탕 갔다가 하듯, 왔다갔다하며 살아야 합니다. 그리고 본인의 주된 성향을 파악해야죠. 나는 열정과 불안을 선호 하는가 또는 안정과 따분함을 선호하는가 말이죠. 저는 좀 더 불안을 추구하는 타입입니다. 물론 안정이 필요할 때도 있죠.

열정을 추구하다가도 불안에 지치면 안정을 추구하고요. 그러다 따분해지면 다시 열정을 추구하면 됩니다.

딱 고정적인 정답은 없습니다. 불안하면 불안한데로 따분하면 따분한데로 괜찮습니다.

다만 열정도 없이 불안하거나, 안정도 없이 따분하다면 그것은 문제가 있죠.

## 06.
## 가장 행복했던 시간이란

가장 행복했던 시간이 언제에요? 라는 질문을 받았을 때, 크게 두 가지 답변으로 나뉜다고 생각합니다.
하나는 사랑하는 사람과 함께 할 때, 또 다른 하나는 내가 정말 열심히 살았을 때.

열심히 산다는 것은 다른 말로 불편하게 산다는 것과 같습니다. 열심히 살지만, 편하게 살 수는 없어요. 노력한다는 것은 노력하는 만큼 불편함을 감수한다는 뜻이죠.

헬스장에서 가장 열심히 노력하는 사람은 핑크 덤벨 들고 휴대폰 보며 깔짝거리는 사람이 아닙니다. 무서운 눈을 뜨고, 거친 숨 내쉬며, 핏대 세우고 자신의 체중에 몇 배나 되는 중량을 들어 올리는 사람들이죠.

누가 더 불편하겠습니까. 자신의 체중의 몇 배를 들어 올리는 사람들이 훨씬 불편합니다. 그런데 이 사람들이 휴대폰을 보며 핑크 덤벨로 깔짝대는 사람들을 부러워할까요? 아니요. 오히려 한심하게 봅니다.

신기하지 않나요? 힘들고 불편하게 운동하는 사람들이 편하게 운동하는 사람들을 한심하게 생각하다니요. 나를 성장시키는 시간은 내가 불편한 시간이고요. 그 강도는 불편함의 정도에 따라 결정됩니다.

내가 힘들수록 나의 능력보다 더 큰 일들을 내가 하고 있다는 뜻이고, 내 능력보다 더 난이도가 높은 일들을 내가 하고 있다는 것은 나의 실력이 향상되고 있다는 뜻이죠. 우리는 이렇게 성장하는 순간을 의미 있게 여기고 가치 있게 여깁니다. 그래서 가장 행복한 순간을 떠올려 보라고 했을 때, 정말 내가 열심히 살았던 순간들을 떠올리곤 하죠.

이렇듯, 불편함을 감수하는 일은 역설적으로 행복한 일일지 모릅니다.

# 07.
## 돌이킬 수 없는 선택

결정 및 선택에 융통성을 가져야 한다는 이야기를 합니다. 내가 내린 결정이 틀릴 수 있음을 항상 염두해 두고 결정을 하라는 이야기죠. 좋은 이야기라고 생각을 합니다만, 저는 돌이킬 수 없는 선택을 하는 것이 더 효과적일 수 있다는 이야기를 하려고 합니다.

캐나다의 경마장에서 수행한 한 실험을 살펴봅시다.

연구자들은 2달러를 건 사람들에게 접근해 가장 좋아하는 경주마가 우승할 확률이 얼마라고 생각하는지 물어보았습니다.

절반에게는 돈을 걸기 직전에 질문을 하였고, 나머지 절반에게는 돈을 건 직후에 질문을 하였습니다.

두 차례에 걸쳐 독립적으로 조사한 결과, 돈을 건 후 질문을 받은 사람들은 자신이 선택한 말의 우승확률을 훨씬 높게 평가하는 경향이 있었습니다. 돈을 걸고 나서 자신이 선택한 말이 우승할 것이라고 더 믿었다는 겁니다. 선택 후 믿음이 증대된 겁니다.

돈을 걸기 전후 몇 초 동안 경주, 경기장, 경주로, 날씨 등 아무것도 변화한 것이 없었는데도 말입니다. 바뀐 것이라고는 선택을 하기 전인가, 후 인가입니다. 믿음이 증대된 이유는 선택입니다.

정치적 선거에서도 똑같은 과정이 적용되게 됩니다.

유권자들은 투표 직후 자신이 선택한 후보가 이기리라고 더욱 믿게 됩니다.

또 추가로, 한 실험에 따르면, 열 두 장의 사진 중 단 두 장만 고를 수 있다고 실험자들에게 알려줍니다. 일부 집단에는 선택을 번복할 수 있으며, 일부 집단에는 선택을 번복할 수 없다고 했습니다. 만족도는 어디가 더 높았을까요? 후자입니다. 자신이 한 선택을 바꿀 수 없을 때, 오히려 더 만족도가 높았다는 겁니다.

경마장에서의 선택, 정치 선거에서의 투표, 열 두장의 사진 중 두 장의 사진을 고르는 실험 모두 번복이 불가합니다. 번복이 불가한 선택을 했을 때, 믿음이 높아지고, 만족도도 높아졌습니다.

잠시 다른 이야기를 해보겠습니다. 믿음은 굉장히 중요합니다. 믿음은 정신적인 부분이지만, 실질적인 실천을 부르는 요소입니다. 좀 더 이해하기 쉽게 반대의 이야기를 하자면, 게으름, 나태함 역시 정신적인 부분이지만, 실질적인 실천을 저해하는 요소죠.

믿는 사람들이 실천합니다. 잘 와 닿지 않는다고요? 예를 들어보죠. 대표적인 예로 종교가 있습니다. 종교의 힘이 강력한 이유 중 하나죠. 기도하고 헌금하거나, 108배를 하거나, 정해진 시간이 되면 절을 하거나, 교리를 따르거나 하는 행동들은 믿음에서 나옵니다.

전교 1등이 공부하는 이유는 자신이 공부하면 잘 될 거라는 믿음이 있기 때문이고, 올림픽 스포츠 스타가 훈련에 매진하는 이유는 자신이 운동하면 잘 될 거라는 믿음이 있기 때문이죠. 이렇듯 믿음은 실질적인 실천을 만듭니다.

그렇다면 이제 문제가 생기는 거죠. 어떻게 하면 내가 나를 믿을 수 있나요?

자기신뢰는 너무 어렵습니다. 믿음이 생기지 않아 실천도 안 됩니다. 제가 공부를 하면 되리라는 생각도 없고, 운동을 해도 바뀌리란 믿음도 없습니다.

제가 처음에 캐나다 경마장에서의 한 실험을 이야기했었죠. 내가 선택한 말. 선택한 뒤에 그 말이 우승하리라는 믿음이 더 커진다고요. 그렇습니다. 선택을 해야 합니다. 돌이킬 수 없는 선택이요. 돌이킬 수 있는 선택은 불만을 부르고 후회를 부르고 머뭇거리게 만듭니다. 나아가지 못하게 합니다. 돌이킬 수 없는 선택이 믿게 만들고 만족을 부르고 실천을 만듭니다.

## 08.
### 세대차이가 아니다.


기성세대 청년세대 간의 갈등이 있잖아요.

모든 갈등이 그렇듯, 본인이 옳다고 생각하기 때문에 이루어지는데요. 세대 간의 갈등도 마찬가지죠.

이게 근래 새롭게 떠오르는 일처럼 여겨지지만, 그렇진 않습니다. 공자도 요즘 사람들은 자기수양을 위해 공부하는 것이 아니라 남에게 보이기 위해서 공부한다며 당시의 청년 세대를 비판했고요. 맹자도 옛사람들이 요즘 사람들보다 훌륭하다는 식의 이야기를 하기도 했죠.

고대 로마버전의 경우,"나의 아버지는 할아버지 代보다 명철이 떨어졌고, 나는 나의 아버지 代보다 명철이 떨어졌는데, 우리 다음 代는 우리보다 명철이 떨어진다."
『로마 제국은 왜 멸망했는가』 中

중세 시대 당시에도 요즘 대학생들은 답이 없다며 한탄하는 말을 한 사람도 있고요.

조선시대에도 역시 '요즘 애들은 문제가 많다. 왜 이러는가 싶다.' 는 내용의 글들이 있죠. 심지어 조선왕조실록에 있죠.

지금은 '요즘 청년들은 끈기가 없다. 참을성이 없다. 참을 줄 모른다.' 는 식으로 기성세대에서 이야기 되고 있죠.

저도 청년 세대의 일원으로서 생각을 말씀드리자면, 기성 세대를 비판할 것은 아닙니다. 그 당시 필요했던 일들을 수행했다고 생각이 듭니다. 국가를 위해서, 사회를 위해서 데모도 하고 운동도 하고 희생도 했죠. 고통을 감수 했습니다. 대의를 위해서 고통을 감내하며 성과를 낸 세대이고 배울 점이 많다 생각합니다.

제가 느끼는 우리 세대, 청년 세대는 그에 못지않게 대단합니다. 국가를 위한, 사회의 변혁을 위한 대의가 없더라도 고통을 감수하고 인내하며 성과를 냅니다. 달리 말하면 아주 작은 사소한 목적이라도 노력하고 인내한다는 말입니다. 예를 들어, 바디프로필 열풍이 있었죠. 정말 별게 아닌 것처럼 보이지만, 먹을 것 참고, 배고픔 참으며, 무거운 역기를 들어가며, 자기 고문에 가까운 고통을 감내해야 이룰 수 있는 일입니다.

## 09.
### 꾸준히 하는 방법.


운동과 식단을 꾸준히 하는 것이 대단하다고들 이야기 합니다. 어떠한 마음가짐을 가지면 꾸준히 할 수 있을까요?

행위 자체가 아니라 크고 높은 것을 봐야 합니다.

행위 자체로서 빛나는 일은 없습니다. 이번에 서울 여행을 갔는데, 정말 빌딩들이 너무 높고 멋졌습니다. 물론 저도 부산사람이라 높은 빌딩들을 못보고 자란 것은 아니지만, 그래도 다르긴 했습니다. 그 빌딩을 만들 때, 누군가는 벽돌을 나르고, 시멘트를 발랐을 것입니다. 벽돌을 나르고 시멘트를 매일매일 나를 때, 그 행위 자체에 집중하면 힘들 수밖에 없습니다. '나는 지금 벽돌을 나르고 있다'는 마음으론 오래할 수 없습니다. 그 행위의 목적을 봐야합니다. '높고 아름다운 빌딩을 나는 만들고 있다' 이렇게요.

매일매일 수학 문제집을 푸는 고3학생의 마음은 어떨까요? 그 학생이 단지 수학문제를 푸는 것에만 포커스를 뒀다면, 오래 가지 못할 것입니다. '서울대에 진학하고 싶다. 한의대에 진학하고 싶다'는 목표가 있다면 꾸준히 할 수 있습니다. '나는 수학문제를 풀고 있다'가 아닙니다. '나는 서울대에 진학하기 위해 노력하고 있다' 이렇게 되어야 합니다.

운동도 마찬가지입니다. '나는 120kg 스쿼트를 하면서, 나는 지금 120kg 쇳덩이를 들고 있다' 이렇게 생각해서는 오래하지 못합니다. '나는 지금 내가 이상적으로 생각하는 육체, 신체적 능력, 아름다움을 얻기 위해 땀을 흘리고 있다' 이렇게 되어야 합니다.

## 10.
## 나트론 호수를 아시나요?


죽음의 호수 또는 메두사 호수라고 불리기도 하죠. 이 호수의 물에는 탄산수소나트륨의 함량이 매우 높습니다. 그리하여 강한 염기성을 띠게 되고 단백질을 녹이고 피부를 부식시키면서, 수분까지 빨아들입니다.

실제로 이 호수 근처에는 이러한 호수의 특성으로 인해 박제된 것처럼 사망한, 미이라가 된 것처럼 15사망한 참새 제비 박쥐 등이 있는데 사진으로 확인할 수 있습니다. 실제로 한 조류학자도 이 호수 인근의 진흙에 빠졌다가 3일 동안 기절을 했습니다. 다리는 심각하게 부식이 진행되고 있었고, 겨우 병원에서 피부이식수술을 받은 뒤에 살아남을 수 있었죠. 손발이라도 잘못 담그면 정말 큰일 납니다. 즉시 화학화상을 입고, 피부는 다 부식되고 익어버립니다. 목숨이 위험할 정도죠. 진짜 죽음의 호수가 맞습니다.

이러한 죽음의 호수에서 아니 나트론 호수에서 유유히 걸어다니는 새가 있습니다. 바로 홍학입니다. 놀랍죠? 닿기만 닿아도 녹아버려 미이라가 된 듯 사망해야 정상인데 말이죠. 이유는 홍학의 다리가 강염기성에도 버텨낼 수 있는 저항력이 있기 때문입니다. 이게 무슨 쓸모가 있을까 싶지만, 나트론 호수에서 버틸 수 있기 때문에 홍학은 하이에나와 같은 천적으로부터 안전할 수 있습니다. 재밌죠? 죽음의 호수를 버텨낼 수 있기 때문에 진짜 죽음의 위협으로부터 자유로울 수 있는 겁니다.

달리 말해서 다른 동물들이 버텨낼 수 없는 것을 버텨낼 수 있기 때문에 홍학은 번성할 수 있었습니다. 그 요인 때문만은 아니겠지만, 큰 이유 중에 하나입니다.

사자처럼 강력한 앞발의 힘이 있는 것도 아니고, 하이에나처럼 끈질긴 체력이 있는 것도 아니죠. 또 치타처럼 엄청난 스피드가 있는 것도 아닙니다. 단지, 그 동물들이 버텨낼 수 없는 강염기성 물을 버텨낼 수 있었을 뿐이죠.

다시 좀 바꿔 말해 봅시다. 내가 다른 사람들이 버텨낼 수 없는 것을 버텨낼 수 있다면 나는 어떻게 될 수 있을까요? 더 나은 내가 될 수 있지 않을까요?

다른 사람들이 포기하는 순간에서 좀 더 버틴다면요? 다들 숨이 차서 그만 둘 때, 좀 더 버틴다면요? 다들 지쳐서 손 놓을 때, 좀 더 버틴다면요?
나라는 존재는 어떻게 발전할까요?

버티다.
외부의 힘이나 충격에 끌려가거나 쓰러지지 않고 견디다.
외부의 강요나 설득, 유혹 등을 받아들이지 않고 맞서다.

잘 버티는 능력만 있어도 우리는 훌륭해질 수 있습니다. 그것만으로도 충분히 독보적인 존재가 될 수 있습니다. 나트론 호수를 걸어 다니는 저 홍학처럼 말입니다.

오늘 하루가 좀 힘들더라도 잘 버텨봅시다.

# 11.
## 니체

제가 참 좋아하는 프리드리히 빌헬름 니체입니다. 19세기 활동했던 독일 철학자, 시인, 음악가, 문헌학자, 문화 비평가, 심리학자, 계보학자입니다. 워낙 관련 영상을 많이 올린 터라 제 채널 구독자분들께서는 익숙하면서도 반가울 수 있겠습니다.

니체의 어린 시절 역시 그다지 좋지 않습니다. 5살 때 아버지가 뇌연화증, 뇌의 혈관이 막히고 그 앞의 뇌조직이 괴사하게 되어 흐물흐물해지는 질환입니다. 뇌연화증으로 사망하게 됩니다. 그 후 몇 달 뒤 동생까지 병으로 사망합니다. 꽤 충격적인 시작입니다.

지적 호기심이 많고 열정적이었던 니체의 아버지 대신, 엄하고 절제하는 어머니의 밑에서 자라게 된 니체는 많은 억압을 받으며 자랐다고 느낍니다. 이러한 억압에 대한 반작용으로 자유에 대한 갈망이 생기고 그의 철학에 반영이 되었다고 볼 수 있겠습니다. 역시 불행의 결과가 위대한 사상의 탄생에 영향을 준 경우입니다.

니체의 마조히즘스러운 명언이 있죠.

나를 죽이지 못하는 것은, 나를 더 강하게 한다.
(Was mich nicht umbringt, macht mich stärker.)
– 우상의 황혼 中.

좌우명으로 삼으면 삶이 편해집니다. 뿌리 깊은 고난과 해결하기 어려운 문제들을 마주하더라도, 상관없게 되죠. 말 그대로 나를 죽이지 못하는 고통은 나를 더 강하게 만들 뿐이니까요. 저는 어릴 적 철 없던 시절에 살아있는

벌레를 가지고 장난을 많이 쳤습니다. 벌레들은 죽기 직전에 가장 아둥바둥 살고 싶어 큰 몸부림을 칩니다. 방아깨비를 잡아서 꾹 누릅니다. 지금 생각하면 잔인한 일이라 마음이 아픕니다만, 이 사례에서 배울 것은 배워야죠. 죽음의 고난과 압박이 클수록 삶에 대한 의지 역시 커지는 것을 벌레를 보며 확인할 수 있습니다. 내 삶이라고 다르진 않을 것 같다는 생각이 들었습니다.

손으로 하는 일의 성실성☒재능과 타고난 능력에 대해서 말하지 말라! 타고난 재능이 조금밖에 없었던 온갖 위대한 사람들의 이름을 들 수 있다. 그러나 그들은 위대한 사람이 되었고 '천재'(사람들이 말하는 대로)가 되었다. (...)
《인간적인 너무나 인간적인》, 제4장 예술가와 저술가의 영혼에서 163

동기부여이자 위로입니다. 내가 못하면 성실성이 모자라기 때문인 것이니 동기부여가 되고요. 내가 타고난 재능이 없더라도 성실성이 있으면 천재가 될 수 있으니 위로가 됩니다.

니체는 정신적으로 귀족과 천민을 나눕니다. 귀족주의가 맞습니다. 자신의 욕망과 권리를 적극적으로 챙기며, 그에 따르는 책임을 기꺼이 지려고 하는 사람을 정신적 귀족이라고 보고요. 책임을 회피하고 자신의 욕망과 권리를 포기하는 사람을 정신적 천민, 노예라고 봅니다.
타인을 평가하는 잣대로 사용하기 보다도 나 스스로에게 적용하면 좋습니다. 나는 지금 기꺼이 내가 하는 행동을 책임지고, 하고자 하는 바를 행하고 있는가 자문해보시기 바랍니다.

# 12.
## 동백꽃


제가 보고 있는 드라마에 나온 대사입니다. 중년의 남녀가 대화를 주고 받습니다.

여 : 스페인어도 할 줄 아셨군요!

남 : 아, 제가 학생일 때 배운 겁니다.

여 : 그래도 꽤 잘하시네요.

남 : 고약한 스페인어 선생을 만났거든요.

스쳐지나가는 장면이고, 중요한 장면도 아니지만, 저는 좀 재밌었습니다. 스페인어 선생이 고약했다는 말만으로 오랜 세월이 지난 뒤에도 스페인어를 어느 정도 구사할 수 있다는 사실이 설명이 되는 것이 재밌었습니다.

그런거죠. 너는 참 운동할 때 깡이 있다. 응, 나는 독한 스승을 만났거든. 독한 스승은 독한 훈련을 의미하고 독한 훈련은 실력을 의미하겠죠. 이러한 사실을 알기 때문에 쓴 소리를 자주 해주는 강사들이 인기가 많고, 강력한 동기부여를 준다며 자존심을 해치는 영상이 자주 재생되겠죠.

꼭 실질적인 인간관계를 맺지 않아도 괜찮습니다. 강의든 책이든 어디서든 지독한 스승을 찾아보는 것도 내 삶에 도움이 되리라 생각이 듭니다.

동백꽃은 겨울에 핍니다. 봄에서 시간이 흐르면 결국 겨울은 오죠. 그렇지만 아무리 그래도 봄 다음의 계절은 여름입니다. 동백나무가 꽃을 피우기 위해서는 봄을 지나 여름, 가을을지나 겨울이 되어야 합니다.

봄에는 봄이라서 할 수 있는 일을 하고, 여름에는 여름이라서, 가을에는 가을이라서 할 수 있는 일을 해야 겨울에 결국 꽃을 피울 수 있습니다.

봄에, 아무리 빨리 꽃을 피울 준비가 되었다고 때를 쓰고 울고불고 짜증을 내어 보아도, 봄 다음에는 여름이 오지 겨울이 오지 않습니다.

지금 조급한 마음에 당장 해야 할 일에서 손을 땐 채 투정만 부리고 있는 건 아닌지, 봄 다음에는 누가 뭐래도 여름이 오는데 당장 겨울이 오지 않는다고 여름에 해야 할 일을 놔버린 것은 아닌지 생각해 봐야겠습니다.

결국 꽃을 피울 수 있을 테니, 지금 할 수 있는 일에 좀 더 집중해봅시다.

## 13.

## 맛 집 좋아하시죠?

맛 집 좋아하시죠? 그 집 음식 잘해. 맛있어. 머리 잘 만지는 미용실도 좋아합니다. 카페도 그렇죠. 그 카페 커피 맛있어. 바리스타가 커피를 잘 내려. 한의원도 그렇죠. 그 한의사 침 잘 놓더라. 좋은 노래도 좋아합니다. 가창력이 뛰어난 가수를 좋아하죠. 운동선수도 마찬가지죠. 사랑받는 운동선수들은 대부분 실력이 아주 뛰어나죠.

이 모든 사례들에서 공통점을 뽑자면, 우리는 실력 있는 사람들을 좋아합니다. 실력 있는 요리사, 미용사, 바리스타, 한의사, 의사, 가수, 운동선수를 원합니다.

정말 실력 있는 요리사의 맛있는 음식을 먹기 위해서는 한 시간, 두 시간씩 줄서서 기다리기도 하죠. 실력 있는 한의사의 치료를 받기 위해서도 오랜 시간 대기합니다. 그만큼 가치 있다고 생각하기 때문이죠.

셰프의 실력, 한의사의 실력, 그 외 모든 분야에서의 실력은 노력에서 옵니다. 정말 유명한 셰프의 다큐멘터리를 보았는데, 단순해 보이는 음식임에도 불구하고 수 많은 노력이 들어가더군요. 행운이 요리의 맛을 만든 것이 아닙니다. 치열한 고민과 꼼꼼함, 성실함, 깐깐함 많은 노력이 필요합니다.

우리는 이처럼 실력 있는 사람들을 원합니다. 그렇지만, 나 자신은 쉽고 편하게 살기를 바랍니다. 쉬고 편하게 살아서는 실력이 쌓이지 않죠. 노력 없이 얻어지는 가치는 없으니까요. 노력하지 않고, 애쓰지 않고, 실력은 없으나 대신 편하게 살고 싶은 마음은 뜯어 고쳐야 합니다.

아무 노력 없이 편하게 살아도 좋은 사회가 정말 바람직할까요? 치열한 고민과 공부 없이 환자를 잘 치료할 수 있는 의사가 있을까요? 맛있는 음식을 만들 수 있을까요? 헤어스타일을 정돈되고 세련되게 자를 수 있을까요? 힘들겠죠.

각자의 위치에서 노력하고 애쓰며 실력을 갖춘 구성원들이 많은 사회가 바람직합니다. 이러한 사회가 신뢰가 생깁니다. 어느 식당이든 본인 요리에 자부심을 갖고 있는 셰프가 있다면, 어느 짐이든 올바른 자세와 균형잡힌 다이어트 식단을 짜줄 수 있는 능력이 있는 트레이너가 있다면, 어느 자동차 정비소든 명확하게 원인을 찾고 효율적으로 수리할 수 있는 정비사가 있다면 말이죠. 우리는 더 살기 좋은 세상에 살 수 있을 겁니다.

나부터 해야 합니다. 나부터 내 일에 자부심을 가질 수 있을 때 까지 애쓰고, 노력해야 합니다. 나 빼고 모든 남들이 그러기를 바랄 것이 아니라, 나부터 그렇게 해야 합니다.

# 14.
## 모나크 나비

캐나다 남부와 미국 동북부에 서식하는 모나크 나비입니다.

기온이 떨어지는 가을이 되면 겨울을 나기 위해 멕시코 중부까지 약 3220km~4020km 정도 비행합니다. 부산에서 서울까지의 거리가 약 400km 죠 왕복 5번 정도 하는 거리라고 생각하시면 됩니다. 갑자기 1.5km 오래달리기를 할 때 숨이 턱 끝까지 차올랐던 기억들이 아직도 생생하게 납니다. 참고로 모나크 나비의 무게는 0.55g입니다.

놀랍죠? 이렇게 놀라운 생명체를 알게 될 때 참 여러 생각이 듭니다. 저렇게 작고 연약한 살짝 만져도 부서질 나비가 감히 상상도 못할 거리를 비행한다니... 나도 나 스스로를 작은 사람이라 생각하고 할 수 있는 일들을 못할 것이라고 지레 짐작하고 포기한 것은 아닌지 반성을 하게 됩니다. 이 모나크 나비를 보면 내가 얼마나 작은 사람이든 상관이 없는 거죠. 이 모나크 나비는 겨우 0.55g인 걸요. 1.1 내가 얼마나 작은 사람이든 말든 그것은 내가 위대하고 거대한, 큰일을 하는데 전혀 걸림돌이 되지 않는다는 용기를 줍니다.

좀 더 이야기 해보면 그리하여 멕시코에 도착한 모나크 나비는 멕시코에서 겨울을 보냅니다. 2월말, 혹은 3월 초순이 되면 다시 캐나다와 미국의 동북부를 향하여 대규모 비행을 시작합니다. 멕시코에서부터 알을 품고 온 암컷은 3월에 밀크위드라는 나무에 알을 낳습니다. 이 나무에서 부화한 애벌레는 이 풀의 유독성 유액을 먹고 스스로 독성을 지니게 됩니다. 비슷한 동물로는 꽃뱀으로도 불리는 유혈목이라는 동물이 있습니다. 1.50 이 뱀의 목과 몸통 주변에는 독을 분비하는 세포가 없는데도 독이 고여 있는 독샘이 있습니다. 이를 활용해 천적인 오소리나 족제비로부터 스스로를 방어할 수 있죠. 독을 분비하는 세포가 없는데 이것이 어떻게 가능한 일일까요? 바로 독이 있는 두꺼비를 먹고, 이 독을 가공하여 체내에 저장해두었기 때문입니다.

무튼 모나코 나비의 애벌레도 독성이 있는 유액을 먹어 스스로 독성을 지닌 생명체가 되는 겁니다. 자신의 천적들로부터 자신을 보호하는 방어수단이 되죠. 달리 말해, 강한 존재가 된 겁니다. 이 부분도 참 재밌습니다.
우리는 흔히 산전수전을 다 겪은 사람, 어려운 경험을 많이 한 사람들을 강하고 든든하다고 생각하잖아요. 유혈목이가 독이 있는 두꺼비를 먹으며 이를 소화시키고 재활용하여 독을 만드는 것처럼, 모나코 나비의 애벌레가 독성 유액을 먹어 스스로 독을 만드는 것처럼, 독처럼 느껴지는 아프고 고통스러운 경험들이 우리를 더 강하게 만드는 것들이 될 수 있겠구나하고 깨닫습니다. 실제로 독두꺼비를 먹지 않은 유혈목이는 독이 없죠. 마찬가지로 힘든 일들을 이겨낸 경험이 없는 사람은 강함이 없겠죠. 독을 먹고 소화하여 스스로를 강하게 만드는 모나코 나비의 애벌레처럼, 우리도 힘든 경험을 우리의 의지로 소화하여 나 자신을 강하게 만들 수 있습니다.

지금 힘든 시기를 겪어내고 있다면 우리는 이 고난들을 잘 소화시켰으면 좋겠습니다. 그래서 더 강한 사람으로 될 기회로 삼으면 좋겠습니다.

# 15.
## 무당벌레


저는 어린 시절 곤충을 참 좋아했습니다. 무당벌레 애벌레나 번데기를 보면 참 신기해했습니다. 이야.. 애들이 무당벌레가 되구나 하고 말입니다.

이 무당벌레가 한 것이 탈피입니다. 탈피(脫皮)는 동물이 성장하기 위해 허물이나 껍질을 벗는 것을 말합니다. 저는 절지동물, 곤충들의 탈피가 더 감명이 깊더라고요. 왜냐하면, 이 파충류나 양서류의 탈피보다는 절지동물들의 탈피가 훨씬 위험하거든요.

곤충은 뼈가 없습니다. 다른 동물들과는 다르게, 세포층이 외각을 둘러싼 것이 아닌 키틴 성분의 큐티클이라는 물질로 싸여있다. 각질이라 보시면 됩니다. 덕분에 외피는 아주 단단하지만, 유연하지 못하죠.

대신 이때 외골격은 곤충을 천적으로부터 보호하며 내부 장기를 지켜줍니다. 그러나 단단하기 때문에 성장하기 힘듭니다. 단단한 만큼 방어에는 유리하지만, 단단한 만큼 더 커지기가, 성장하기가 어려운 겁니다. 따라서 탈피, 즉 묵은 표피층, 단단했던 외피를 벗어버려야만 성장이 가능하죠.

절지동물은 대체로 다지류라서 파충류나 양서류보다 탈피하는 과정이 고되며 그렇기에 탈피를 실패할 확률도 높다. 또한, 탈피를 한 직후에는 외골격이 아직 무른 상태이기에 바로 활동을 할 수가 없으며 그대로 천적을 만나면 제대로 도망가지도 못하고 잡아먹힙니다. 목숨이 위험한 탈피이자 성장입니다. 게다가 곤충학 연구에 따르면, 탈피는 인간에 비유하자면 폐가 찢어지는 듯한 고통이라고 합니다.

이런 폐가 찢어지는 고통과 목숨이 위태로워지는 리스크에도 탈피를 합니다.

탈피로 얻을 수 있는 긍정적인 효과는 성장이죠. 부정적인 효과는 고통과 위험이고요. 곤충도 알고 있나 봅니다. 성장을 위해서는 고통과 위험을 감수할 만하다고요.

성장을 위해 목숨 걸고 탈피하는 무당벌레처럼 우리도 우리의 성장을 위해 목숨까진 아니더라도 체력정도, 정신력정도는 걸고 도전해봅시다.

# 16.
## 벚꽃나무


김석옥

사시사철 푸르른 소나무보다
한시한철 꽃피우는 벚꽃나무가
더 아름답다.

갖은 풍파에도 쓰러지지 않고
자신만의 푸른빛을 잃지 않는
저 소나무보다

온 힘을 다해 만개시킨 꽃들을
빗방울에 손쉽게 잃고 마는
저 벚꽃나무가

나는 더 좋다.

풍파에도 굴복하지 않고
매해를 강인하게
끝까지 버텨내는
저 소나무보다

빗방울에 굴복하고도
내년이면 언제 그랬냐는 듯
다시 꽃을 피우는
저 벚꽃나무가

쓰러지지 않는 사람과
쓰러져도 다시 일어나는 사람
나는 벚꽃나무 같은 사람이 되고 싶다.

## 17.
### 무엇을 원하는가요?

생각은 정말 복잡합니다. 선하기도 하고, 악하기도 하고 왔다갔다 합니다. 가기계발 기준에서 이야기 해보겠습니다. 새벽에 일어나 공부하고, 운동하고 싶기도 하고, 더 자고 싶기도 합니다. 포기하지 않고 끝까지 열심히 해서 잘해보고 싶지만, 힘든 것이 싫어 금방 포기하고 싶기도 합니다.

나약한 생각을 해도 괜찮습니다. 아 그만두고 싶다. 포기하고 싶다. 생각이 들어도 괜찮습니다. 행동만 잘하면 됩니다. 하기 싫은 생각이 있더라도 시작하고 봅시다. 행동하고 봅시다. 공부, 운동, 연습을 일단 시작하고 봅시다. 행동하다보면 어느 샌가 생각이 잊혀 집니다. 그리고 애초에 나태한 생각은 이 행동으로서 충분히 정당화되고 남습니다.

물론 쉬고 싶은 생각은 고된 행동과 충돌하며 내적 갈등을 부를 겁니다. 괴리가 있으니 갈등은 있겠죠. 그 괴리를 해소하는 것은 멘탈을 잡기로 다짐을 하는 것이 아닙니다. 나태한, 게으른 생각을 고쳐먹는 것이 아닙니다. 게으른 생각을 고치려 하지 말고, 성실한 행동을 하면 됩니다. 성실한 행동의 결과가 게으른 생각을 고칩니다.

항상 성실한 생각을 하고, 그에 따른 성실한 행동을 할 수 있다면 참 좋겠죠. 갈등할 것도 없고 순탄하게 발전하고 성장할 수 있을 겁니다. 그렇지만, 현실은 그렇지 않습니다. 항상 게으른 생각이 들기 마련이고, 그에 따라 갈등 없이 불성실한 행동을 할 것인가, 갈등을 마주하고 성실한 행동을 할 것인가 고민하게 됩니다.

정답은 갈등을 마주하고 성실한 행동을 해야 한다는 겁니다. 그 결정이 결국 괴리를 해소합니다. 게으른 행동을 하겠다는 선택은 마치 게으른 생각과 일치한 듯 보이지만, 잠시 미루고 덮어둔 것에 불과합니다.

경험적으로 우리는 알고 있습니다. '에이, 좀 더 열심히 할 걸.' 이 문장이 익숙하지 않나요? '아, 너무 열심히 해버렸네.' 이 문장은 어색하죠? 그렇습니다. 생각보다 열심히 하는 경우는 잘 없습니다. 한다고 해도 모자란 경우가 많죠. 그러니 의식적으로 더 열심히 하면 됩니다. 우리는 굳이 억지로 더 성실하고 고된 행동을 실천함으로서 오히려 행복해질 수 있습니다.

돈은 벌수록 욕심이 생긴다고 하죠. 이 정도만 있으면 좋겠다 하더라도 점점 더 갖고 싶어집니다. 그러니까 평생 쓰지도 못할 부를 축적하는 재벌들이 있겠죠. 공부도 하면 할수록 점점 더 깊게 파게 되죠. 노벨상을 받거나 위대한 발견을 한 학자들이 그렇겠죠. 근육도 그렇죠. 이 정도만 있으면 좋겠다 싶어도 욕심은 끊이질 않아 결국 약물에 손을 뻗는 과오를 범하기도 합니다. 저는 누누이 말씀드리지만, 약물 사용을 한 적도 없고, 할 생각도 없고, 아시는 분들은 아시겠지만 한 몸도 아닙니다. 모든 분들이 약물 없이 건강하게 운동했으면 좋겠습니다. 많은 분야가 이렇습니다. 하면 할수록 그 원동력 때문에 점점 더 하게 된다고 할까요?

내가 무엇을 진심으로 원하든 간에 그것에 점점 더 몰두하게 되는 경향이 있습니다. 당신을 무엇을 진심으로 원하는가요?

# 18.
## 지금 원하는 것과 정말 원하는 것

세계적인 운동선수들의 공통점은 남들이 자는 시간에 훈련을 했다는 겁니다. 마이클 조던, 코비 브라이언트, 메시, 김연경 등의 위대한 선수들 말입니다. 남들이 자는 시간에 무얼 열심히 한다는 건 참 좋은 일 같다는 생각이 들었습니다. 열정의 크기를 가늠하는 척도가 될 수도 있다고 보거든요. 당신은 남들이 잠에 든 시간에 무언가에 몰두해본 적이 있는가요?

지금 원하는 것은 정말 원하는 것과 다릅니다.
지금 원하는 것들의 특징은 소모적이고, 지속 불가한 것들이고, 비본질적입니다. 정말 원하는 것들의 특징은 생산적이고, 지속가능하며 본질적입니다.

예로 지금 당장 원하는 것은 큰 부, 람보르기니, 최고 아름다운 연인, 멋진 몸매 등일 것입니다. 갖고 싶은 것들입니다.
반면, 정말 원하는 것들을 자세히 성찰해보면, 큰 부를 만들 수 있는 사회경제적 능력, 최고 아름다운 연인을 사로잡을 수 있는 매력, 멋진 몸매를 만들 수 있을 끈기 정신력일 것이다. 근원적입니다.

그래서 즉각적인 욕망, 지금 당장 원하는 것들에 대한 생각에 사로잡히려고 할 때는 한 발 물러서서 이렇게 생각합시다.
　'아니! 그건 부수적인 것이고 그것을 만들 수 있는 힘을 나는 더 원한다' 라고요.

# 19.
## 자기관리는 오히려 쉬운 일이다


스트레스 받는다는 말을 안 좋아 합니다

스트레스를 받는 것은 처해진 상황에 대처하는 아주 멍청한 대응방법입니다.

예를 들어 고등학생 시절을 떠올려봅시다
누군가는 공부를 해야 하는 상황에 극심한 스트레스를 받습니다. 하기 싫은 공부를 왜 해야 하는지에 대해 고민하며 스트레스 받고, 처음 접하는 문제는 당연히 틀리고 잘 안 풀리는 현실에 스트레스를 받죠.

반면 누군가는 배웁니다. 차근차근 개념을 익히고 문제를 풀고 또 문제를 풀며 개념을 익힙니다. 실수를 줄이는 법을 배우고, 심화된 문제를 풀어나가는 법을 배웁니다.

공부를 해야 하는 상황은 같습니다 누구는 스트레스를 받고 있고 누구는 배워가고 있습니다. 단지 대응방법 태도의 차이입니다.

어른이 되어서 문득 드는 생각이 현실세계에 스승이 참 그립더라는 것 입니다. 저를 푸쉬 해주고 자극해주고 때로는 무조건 할 수 있다고 격려 해주고, 때로는 이딴 식으로 해서는 절대 못한다고 자극해주는 그런 스승 말입니다.

어른이 되면 이런 스승이 없습니다. 그러니까 자기 스스로가 해야 합니다. 저도 좀 늦게 깨달은 부분입니다. 어른이 되면 현실 속 스승은 잘 없습니다. 책 속에서나 또는 강의에서나 만나볼 수 있습니다. 현실 속 스승인 분들은 생각보다 너무 바빠서 우리를 케어해줄 시간이 없어요.

나 자신에게 달린 거에요. 정말 모든 것이 나 자신에게..
지금 내 인생을 올바르게 살 수 있는 것은 나 자신에게 달려있는 겁니다. 오직 나 자신에게 달려있단 말이죠.

자기관리는 오히려 쉽습니다. 거울 속에 비친 망가진 나 자신을 직접 대면하는 것보다 하루하루 정신을 갈고닦고 정진하고 배울 점을 찾는 일이 더 쉽습니다. 땀 흘리며 육체를 단련하는 일이 더 쉽습니다.

아무것도 하지 않고 허무하게 하루를 날리는 것과 패스트푸드와 라면, 알코올로 보내는 것이 더 끔찍하고 힘든 일입니다.

배우고 단련하고 먹는 것을 조절하며 수련하는 것이 오히려 속편하고 좋은 일입니다.
안 그런가요? 저는 배나온 자신을 마주하는 것이 너무 힘듭니다. 또 저는 숙취에 찌들어 일처리도 공부도 실수하고 못하는 자신을 마주하는 것이 힘듭니다.

안 그런가요? 물론 저도 그럴 때 있습니다. 당연히 있지만 그럴 때 전 스스로에게 너무 창피합니다.

그것을 고려하면, 오히려 자기관리가 더 쉬운 일입니다.

## 20.
## 실패가 나를 성공시킨다


실패가 당신을 성공에 더 가깝게 한다는 이야기가 있죠.
이 말을 진심으로 이해하기는 어렵습니다. 체감하기는 어렵습니다.

실패라고 다 같지는 않죠. 무의미한 실패가 있고, 의미로 가득 찬 실패가
있습니다. 저는 의미 있는 실패를 했습니다.

의미 있는 실패는 하기 어렵습니다. 저는 이번에 나름 열심히 노력을 하고도
실패했습니다. 보디빌딩 시합에서 병풍을 서고 내려왔습니다만, 정말 기분이
좋았습니다. 정말 저는 성공에 더 가까워졌다는 것을 알거든요. 느껴집니다.

이 감정을 구체적으로 설명해드릴게요. 의미 있는 실패를 하고 나면요. 더 잘할
수 있었다는 생각이 듭니다. 이렇게 했다면, 저렇게 했다면 더 잘할 수 있었을
텐데 라는 생각이 듭니다.

아, 더 열심히 할 수 있었는데...

여기서부터 나는 더 큰, 더 능력 있는, 더 잘할 수 있는 사람이라고 스스로
인정한 것이 됩니다. 더 열심히 할 수 있었다는 것을 알게 되는 것이죠. 그러면
더 열심히 할 수 있게 되는 겁니다. 거기다가 더 잘할 수 있는 방법도
알아차리게 되는 것이죠.

실패가 저를 더 크게 만든 겁니다.

물론, 실패는 괴로움과 어려움, 후회를 동반하죠. 이것에 사로잡혀 고통 속에
빠지면 안됩니다. 오히려 이 고통을 즐길 수 있다면, 그 때 성장이 이루어집니

다. 정말로요. 고통을 즐길 수 있다면 말이죠. 힘든 공부를, 고통스러운 공부를 할 수 있게 됩니다. 운동을 할 수 있게 됩니다. 내가 원하는 가치에 기꺼이 다가갈 수 있게 됩니다.

## 21.
## 왜 자꾸 힘들었던 기억을 떠올리며 또 다시 힘들어 할까요?

왜 자꾸 힘들었던, 창피했던, 고통스러운 기억들이 떠올라 나를 괴롭힐까요? 감정적으로 힘들게 할까요? 뇌는 그 사건, 상황을 자꾸 상기시켜 나를 힘들게 느끼게 합니다. 그 사건과 나쁜 감정을 결부시켜 다시 그러한 일이 일어났을 때, 빠르게 회피할 수 있도록 세팅하는 작업입니다.

상사에게 혼이 났다거나, 큰 실수, 시험에서 불합격을 했다던가, 경쟁에서 하위권으로 밀려났다거나 하는 일들 말이죠. 이러한 대부분의 일들은 다시 일어나더라도 회피할 수 없는 경우가 대부분입니다. 아주 먼 과거에야 약간의 독이 있는 버섯을 먹고 고통스러웠던 기억을 자꾸 상기시키면, 결국 그와 유사하게 생긴 버섯을 피하면 그만이겠지만,

회사를 그만두지 않는 이상 그 상사와의 트러블은 또 있을 것이고, 시험에 불합격 했다고 하더라도 포기할 수 없고 다시 도전해야 하며, 경쟁에서 하위권으로 밀려났다 손 치더라도 다시 노력해서 더 잘하려고 해야 하죠.

그러니까 굳이 특정 사건을 상기시키며, 고통스러운 감정과 결부시킬 필요가 없는 겁니다. 그렇다고 하더라도 회피할 수 있는 일들이 아니니까요.

피할 수 없으면 즐기라는 말이 있죠.

제 방식대로 해석하자면, 피할 수 없는 일들에서 굳이 고통 받을 이유가 없다는 겁니다. 그러한 일들이 고통스러운 감정을 주는 것은 다음번에 만나게 되면 피하라는 신호를 만들고 자연스럽게 피하기 위함이죠. 피할 수 없는데 굳이 그러한 작업을 할 필요가 없습니다. 항상 뇌가 옳은 것은 아닙니다. 이것을 인지하는 것조차도 뇌의 작업이긴 하지만, 조금 더 고등차원의 뇌의 작업이죠.

사건을 떠올리고 후회하는 작업은 하등차원의 뇌 작업입니다. 고등차원의 뇌 작업은 이것의 발현이 현대에 이르러서는, 최소한 나의 상황에서는 별로 유의미하지 않다는 것을 인지하는 것이죠,

뇌의 작업도 하등차원, 고등차원으로 간단하게 나누기만 해도 꽤 많은 부분에서 낭비되는 우리의 정신력을 보존할 수 있습니다.

자, 자꾸 떠오르는 불쾌한 사건들이 자꾸 떠오르는 이유가 더 이상 쓸모없습니다. 여기에 에너지 낭비하지 마시고, 의미 있는 일, 생산적인 일에 좀 더 집중합시다.

## 22.
## 통제할 수 있는 일을 통제하자


심리학자 김경일 교수님의 강연을 듣다가 알게 된 내용입니다. 요약하자면 인간은 위험성을 인식하는데 있어서 객관적, 합리적이지 못하다는 것이죠. 예를 들어 미국에서 총에 맞아 죽는 사람과 계단에서 굴러 떨어져 죽는 사람을 비교해 보면, 계단에서 굴러떨어져 죽는 사람이 많다고 합니다. 때로는 훨씬 많다고 합니다. 그럼에도 무장강도에 대한 대비를 훨씬 많이 하죠. 또 다른 예로 테러로 인한 사망률보다 담배로 인한 사망률이 훨씬 높음에도 불구하고 우리는 테러를 더 위험하게 생각한다는 것이죠.

이 이유는 통제성에 있습니다. 우리가 통제할 수 있는 것에 대해서는 위험성을 낮게 평가하는 경향이 있다고 합니다. 담배는 통제할 수 있다고 생각하기 때문에 그 위험성을 훨씬 낮게 보는 것이죠.

비만도 마찬가지입니다. 좀 오래된 자료이긴 합니다. 미국의 연구결과에 따르면 지난 2000년 교통사고 사망자는 약 4만명 인데 비해 비만으로 인해 사망한 사람은 약 30~40만명에 달한다. 비만으로 인한 사망률이 교통사고로 인한 사망률의 거의 10배에 이르는 겁니다.

신이 와서 계약을 맺자고 합니다. 종종 좋아하는 음식도 먹되 샐러드, 닭가슴살 먹으며 식단관리하고, 운동도 종종 하면 평생 교통사고로 사망하지 않게 내가 막아주마.

좋다고 하실 분들 많겠죠.

신이 와서 다시 계약을 맺자고 합니다. 종종 좋아하는 음식도 먹되 샐러드, 닭가슴살 먹으며 식단관리하고, 운동도 종종하면 비만으로부터 막아주마.

딱히 신경 쓰시지 않겠죠.

얼마나 비합리적입니까. 금방 제가 비만으로 인한 사망률이 교통사고로 인한
사망률의 10배인데 말이죠. 어째 교통사고를 막아준다고 하면 혹하고, 비만을
막아준다고 하면 미적지근할까요.

그러니까 우리가 통제할 수 있다고 여기는 이 비만은 실은 상당히 중요한
부분인거죠. 만약 통제할 수 없는 것으로 여겨졌다면, 교통사고나 테러보다
훨씬 더 공포 스러운 것이었겠죠.

실로 통제할 수 있는 이 비만, 더 이상 관리하지 않을 이유가 없습니다.
오늘부터 시작합시다.

## 23.
### 아이작 뉴턴


아이작 뉴턴, 과학혁명에 있어서 가장 압도적인 공헌을 한 위대한 학자. 수학자. 케임브리지 대학교 루카스 석좌교수, 연금술사, 신학자, 종교학자.

1727년 3월 31일에 사망한다. 사망한지 300년 가까이 흐른 지금에도 인류 역사상 가장 위대한 지성인으로 꼽힙니다. 이런 그의 삶을 들여다보면, 지극히 평범한 우리들의 삶도 큰 위로를 받을 수 있습니다.

칠삭둥이로 태어났으며, 태어나기 전에 이미 아버지가 돌아가셨죠. 3살에 어머니가 재혼을 하여 집을 떠납니다. 다행히 외할머니의 집에 남게 되었고, 외삼촌이 그를 자주 돌봐주었죠. 누가 뭐라고 해도 정말로 삶의 출발점이 좋지 않습니다. 이 사실을 알게 된 후 문득 떠오르는 장면이 있었습니다. 저는 아주 어릴 적, 그러니까 윤리나 도덕에 대한 관념이 모자라던 시절에 곤충을 괴롭히곤 했습니다. 곤충들은 죽기 직전에 가장 격렬하게 살고 싶어 몸부림칩니다. 가장 위험한 순간에 가장 삶에 대한 의지를 표출합니다. 어찌 보면 뉴턴 역시 삶의 시작부터 가장 위험한 순간을 마주하지 않았을까, 그리고 그의 삶에 대한 의지, 앎에 대한 의지는 어쩌면 이 불행한 시작에서 기인한 것은 아닐까하는 생각이 들었습니다.

뉴턴은 원래 중하위권의 학생이었다고 합니다. 자신보다 조금 더 성적이 나은 학우와의 다툼 후에 경쟁심으로 공부를 진지하게 시작하게 되었다고 하죠. 정말 사소한 출발입니다. 인류 역사상 최고의 지성인 중 한명이 공부를 시작한 계기가 고작 같은 반 학우를 성적으로 이기고 싶었던 그 사소하기 짝이 없는 경쟁심, 질투심이라니 말입니다. 어떤 일을 하든, 그 출발점이 성대할 필요가 없다는 것, 실천을 할 때, 그 이유는 그리 중요하지 않다는 것을 다시 한 번 느낍니다. 고작 옆에 있는 학우보다 성적을 잘 받기 위해서 시작했던 공부가 인류 역사상 가장 위대한 발명으로 이어질 줄 알았겠는가 말이죠. 그러니, 지금 우리도 원하는 일을 시작하기 위해 이유를 찾고 목표를 세우는 등의 노력은 필요없을 수도 있겠습니다. 그냥 옆사람보다 좀 더 잘하고 싶어서라는 이유만으로도 충분히 우리는 위대한 성취를 이룰 수도 있습니다.

또 명예혁명 직후(1688) 대학 대표로 국회의원을 한 적이 있었는데, 투표에는 빠짐없이 참가했음에도 불구하고 그의 발언은 당시 속기록에 딱 하나만 있다고 합니다. "거, 바람 들어오니 창문 좀 닫아주시오." 참 재미난 일화입니다. 당시로서는 얼마나 존재감이 없었고, 의미 있는 발언을 안했으면 고작 창문 닫아달라는 발언이 써져있었을까 싶습니다. 뉴턴은 국회의원으로서는 존재감이 아주 없었겠지만, 학자로서는 존재감이 있다 못해 위대하죠. 그러면서 문득, 우리도 사회적으로 존재감이 없게 느껴지는 어두운 순간들, 시간들이 있을 수 있습니다. 그 시간들이 내 삶을 규정하는 것은 아니라는 위로를 뉴턴에게서 받을 수 있습니다. 우리도 설령 지금은 아니더라도 위대해질 수 있습니다.

과학적 업적으로는 고전물리학의 정립 – 만유인력의 존재 자체를 발견한 것은 아니고, 만유인력을 수학적 표현으로 정립해낸 것이라고 합니다. 또 뉴턴식 망원경을 만들었고, 미분을 발명하였습니다. 그 외 많은 업적이 있다고 합니다.
- 오늘 할 수 있는 일에 전력을 기울여라
- 굳은 인내와 노력이 없었던 천재는 이 세상에서 존재하지 않았다
- 오늘 할 수 있는 것에 온 힘을 쏟으면 내일은 한발 짝 더 나아가 있을 것이다
- 나의 능력은 평범하다 오로지 실행력이 나를 성공으로 이끌었다
- 중요한 것은 무엇을 참고 견디느냐가 아니라 어떻게 참고 견디느냐에 있다

뉴턴 같은 천재도 이렇게 이 악물고 노력한다니, 이것 자체로도 큰 위로입니다. 천재도 노력해야 하는데, 우리 같은 평범한 사람들은 당연히 더 노력해야 겠구나 하는 생각이 들게 만드네요.

## 24.
### 아타카마 사막


지은이 : 한의빌더

남아메리카의 안데스 산맥 서쪽에 있는 사막
세계에서 가장 건조한 사막

동쪽으로는 산맥이
서쪽으로는 해류가
비구름을 가로 막는다.

건조할 수밖에 없는
이 서글픈 사막에도
7년에 한번 씩은 꽃이 핀다.

아주 활짝. 폭죽이 터지듯
꽃들이 팡팡 터진다.
마치 준비라도 해왔던 것처럼

메마른 땅 속 7년 동안 있던 씨앗들은
목이 타들어가는 건조함을 이겨냈다.

비가 오리라는 것을
알고 준비했을까
모르고 준비했을까

아니면 언제 다가올지 모를

그 순간을 위해 묵묵하게
그냥 준비했을까

나의 인생도 아타카마 사막
다가올 폭죽놀이 같은 순간을 위해
그 절정이 오리라는 것을
알든, 모르든

그냥 묵묵하게
준비해보련다.

# 25.
## 암벽등반


암벽등반 아시죠? 단순히 암벽을 타고 오른다는 것으로 표현할 수 없죠. 무언가를 극복하는 이미지, 도전과 인내를 통한 승리의 의미가 있습니다.

암벽등반 관련 다큐멘터리를 인상 깊게 봤습니다. 목표를 향해 차근차근 조금씩 올라갑니다. 때로는 조건이 여의치 못해 오르지 못하고 옆으로 가며 도약하기에 적합한 조건을 찾기도 합니다.

목표를 향해 올라가는 모습이 참 멋집니다. 보다보니 문득 생각이 나는 것이 있더라고요. 등반가는 홈과 틈과 모난 부분을 통해 상승하더라고요. 만약 등반하려는 암벽이 완벽하게 매끈하다면? 홈이 없고 틈이 없다면 등반이 가능할까? 생각이 들었습니다. 절대 불가하겠죠. 잡을 곳이 없잖아요.

우리도 마찬가지 일겁니다. 우리도 우리를 등반하기 위해서, 성장하고 목표를 향해 한 팔, 한 팔 오르기 위해선 모난 부분을 짚어야 할 것이고, 틈을 잡아야 할 것입니다. 홈을 딛고 올라야 하는 거죠. 재밌는 것은 암벽을 오르고 나서 목표에 도달한 뒤에도, 성장한 뒤에도 여전히 그 홈과 틈은 남아 있는 거죠.

우리는 우리의 단점을 없애야 극복하는 것 이라고 생각하잖아요. 암벽등반은 그렇지 않을 수 있다는 것을 알려준다 생각합니다. 다 오르고 극복한 뒤라도 여전히 암벽의 모난 부분과 홈은 남아있듯이, 우리도 성장하고 발전하더라도 여전히 우리의 단점은 남아 있을 것입니다.

그럼에도 그 단점을 딛고 오르고 일어서는 일이 진정한 성장의 의미가 아닐까 생각을 합니다. 여전히 그 단점은 그 자리에 있겠지만, 저는 다른 위치에 있는 거죠. 내가 내 단점을 바로 앞에서 지켜보고 있다면 그것이 정말 커보이고 심각해 보이겠지만 점점 등반하다보면 그 단점, 그 틈은 점점 작아집니다. 정상 쯤에 도달했을 때는 아마 너무 작아 잘 보이지도 않을 거에요. 그러면서 우리는 성장하고요.

각자의 단점이 있겠죠. 그 단점이 잘못된 것이 아닙니다. 애써 모난 부분을 깎고 숨기지 맙시다. 암벽등반 하듯 딛고 일어섭시다. 어느 샌가 우리는 심각해보이기만 했던 우리의 문제를 귀엽게 볼 수 있을 거라고 믿습니다.

## 26.
어니스트 밀러 헤밍웨이


미국의 참전용사, 종군기자 그리고 소설가입니다.

우리는 성과를 내고 싶고, 성취를 하고 싶어 하잖습니까. 높은 성적을 내고 싶고, 경제적 능력을 기르고 싶고, 사회적 영향력을 키우고 싶고, 뭐든 잘 해내고 싶은 마음이 있잖아요.

이를 위해서 우리는 우리에게 주어진 고난을 적극적으로 겪어내야 합니다. 그러니까 고난이 찾아왔을 때, 무기력하게 있어서는 안 되고 설령 무너질지언정, 아등바등 강한 의지로 살아내야 합니다.

작은 문제 앞에서는 큰 의지를 발휘할 수 없습니다. 왜냐하면 작은 의지만으로도 해결되어 버리니까요. 큰 문제 앞에서만 우리는 큰 의지를 발휘할 수 있습니다. 그리고 큰 의지를 발휘할 때만이 큰 성취를 이뤄낼 수 있습니다.

헤밍웨이의 삶 속에서 느낄 수 있습니다.

정말 재미있는 책을 쓰려면 수많은 강타를 맞아봐야 한다.(punishment는 권투에서 "강펀치"를 뜻하기도 한다)
But man is not made for defeat. A man can be destroyed but not defeated.
사람은 패배하기 위해 만들어지지 않았다. 사람은 파괴될 수는 있어도 패배하지는 않는다.
- 1952년, 《노인과 바다》에서.
세상은 지위의 높고 낮음을 가리지 않고 누구나 때려 부순다. 그러면 많은 사람들은 바로 그 부서진 곳에서 더 강해진다.
- 1929년, 《무기여 잘 있거라》에서.

대표적인 작품으로는 노인과 바다, 무기여 잘 있거라가 있죠. 그의 일대기를 보면 참 여러 생각이 듭니다. 그는 퓰리처상과 노벨문학상을 수상했고요. 사회적 경제적으로 크게 성공을 거두었습니다. 이 이야기는 접어두고요. 그의 삶 속에서 일부 고난만 먼저 나열 하겠습니다.

그는 1918 1차 대전에 참여하고자 하였지만 신체검사에서 탈락하는데요. 어릴 적 복싱을 배웠던 적이 있는데, 복싱 선수 시절에 얻은 눈 부상 및 선천적으로 낮은 시력 탓에 육군, 해병, 해군 모두 신체검사에서 탈락합니다. 그리하여 적십자사 소속의 비전투병으로 참전하게 됩니다. 운전사로 일하는 중 두 다리가 박격포탄 파편에 맞아 심각한 부상을 입게 되어 일시적 불구가 됩니다. 다행히 회복되어 걸을 수 있게 됩니다. 이러한 경험을 바탕으로 '무기여 잘있거라' 작품이 완성되죠.

무명작가 시절 파리에서 생활은 궁핍했습니다. 공원의 비둘기를 잡아먹기도 했고요. 복싱 체육관의 스파링 파트너로 주먹을 맞아가며 돈을 벌기도 했습니다. '무기여 잘있거라' 작품을 통해 성공한 작가가 됩니다. 그렇지만, 심한 독감에 걸려 목숨을 잃을 뻔까지 했고요. 교통사고로 큰 부상을 입게 되기도 합니다. 또 한 차례 교통사고도 있었고요. 말을 타다가 떨어져서 다치기도 합니다.

네 번의 결혼과 세 번의 이혼을 겪습니다. 아프리카 여행 중 비행기를 탔는데 추락하게 됩니다. 다행히 목숨은 건집니다. 추락 48시간 후 다시 비행기를 타는데 이륙하자마자 또 추락하게 됩니다. 여기서 간, 신장이 망가지고 척추까지 손상이 됩니다. 원래 좋지 않았던 시력도 상실되고 청력까지 상실이 됩니다. 산책 중에는 산불을 만나 화상을 입기도 했죠. 말년에는 늙고 약해지는 자기 자신을 싫어하게 됩니다. 작품활동 역시 잘 이루어지지 않습니다. 여러 차례 자살 시도를 하였고 우울증으로 입원 치료를 받았습니다. 지금이야 말도 안 되는 이야기지만, 전기충격요법은 당시로서는 일반적인 처방이었습니다. 입원치료를 받고 퇴원 후 6일 뒤 그는 엽총으로 자살합니다.

비교적 짧은 글로 정리한 그의 인생이지만, 강인함이 느껴집니다. 배울 점이 참 많습니다.

# 27.
## 바르게 사는 것이 이익이다

올바른 일을 하면 나는 좋은 사람, 더 유능한 사람이 되는 것이고
잘못된 일을 하면 나는 더 나쁜 사람, 더 해로운 사람이 되는 것입니다.
올바른 일을 하지도 않고, 잘못된 일을 하지도 않으면 그대로 멈춰있는 사람인
것입니다.

우리는 더 나은 사람이 되려하지 않는 것에는 큰 죄책감을 느끼지 않습니다.
굳이 서울대를 목표로 잡지 않고, 보디빌더를 목표로 삼지 않아도 죄책감을
느끼진 않죠. 높은 목표를 세우지 않고, 기회를 잡지 않고, 도전하지 않는 것은
나쁜 것이 아니라고 생각합니다. 그래서 잘 하지 않습니다.

반면, 타락하고, 악한 행동을 하는 것에 대해서는 큰 죄책감을 느낍니다. 다른
사람들에게 해를 끼치고, 담배나 술 등에 빠지는 것은 나쁘다고 생각 하죠.
역시 그래서 잘 하지 않습니다.

그래서 우리는 훌륭한 일을 하지도 않고 나쁜 일도 하지 않으려 합니다.

훌륭한 일을 할 수 있음에도 하지 않는 것은 +가 될 수 있는 것을 0으로 만드는
것이다.

해로운 일을 할 수 있음에도 하지 않는 것은 - 가 될 수 있는 것을 0으로 만드는
것이다.

지금 이 위치를 0이라고 가정했을 때, 그대로 0으로 지내는 것은 나쁘다고
생각하지 않습니다. 당연한 것이라고 생각합니다. 왜냐면 현재의 위치가
자신의 안정적인 기본 값, 세팅된 기본 값이라고 생각하기 때문이죠.

관점의 차이이기도 합니다. 어린 시절 성장기 때의 우리는 성장하지 않으면 이상한 것이었죠. 세팅된 값이 0이라고 했을 때, 매일 매일이 0이라면, 우리는 성장장애가 있는 것이죠. 성장하는 것이 당연한데 그대로니까 잘못되었다는 것입니다.

지금 성인이 된 우리도 마찬가지 아닐까요? 우리도 지금 이대로 그대로 있는 것이 당연한 것이 아니라, 성장하고 도전하고 발전하는 것이 당연한 것이 아닐까요? 그래서 당연히 잘못된 선택으로 타락하는 것은 문제지만 오히려 지금 위치에 그대로 있다면, 세팅 값에 그대로 있다면 그것 역시 문제가 아닐까요?

만약 내가 정말 더 나은 사람이 되어야만 할 숙명이고 그게 당연한 일이고 기준이라면요? 내가 성장하지 못하는 것은 문제인 것입니다.

내가 당연히 저 기회를 쟁취하여 100만큼 나은 사람이 되어야 하는 것인데, 노력하지 않아서 올바른 선택을 하지 않아서 100만큼 성장하지 못했다면 100만큼 마이너스된 것과 같다는 뜻 입니다. 당연히 잡아야 할 +100을 잡지 않은 것은 -100을 고의로 잡은 것과 다를 바가 없다는 이야기 입니다.

우리는 항상 지금을 기준으로 삼습니다. 성인이 된 이후로 나는 있는 그대로 유지한다는 것은 잘못된 것이 아니라는 인식이 있죠. 미래의 더 나은 내 모습을 기준으로 삼는다면 도전하고 훌륭한 선택을 하는 것이 당연해집니다.

단지 나쁜 일을 하지 않는 것에 안주 할 수 없습니다. 올바른 선택으로 발전을 하는 것만이 옳습니다.

## 28.
### 왜 불안할까요.

사실 아무것도 하고 있지 않기 때문입니다. 하고 있는 것이라곤 두리번거리며 기웃거리는 것 뿐이기 때문입니다. 수박 겉핥기식으로 살고 있으면 불안합니다.

인스타그램이 그렇습니다. 저는 인스타그램을 하면 어떤 느낌이 드냐면, 나는 누워서 손가락으로 스크롤을 내릴 뿐인데, 이 세상 사람들은 정말 많은 일들을 해내고 있고, 의미있는 시간을 보내고 있구나.

제가 드리고 싶은 이야기는 SNS는 각자 행복한 순간만을 올리기 때문에 그것만 보고 다른 사람들의 삶을 부러워 할 필요가 없다. 그렇게 한다면 우울해진다. 는 이야기가 아닙니다.

남들이 의미 있는 일을 하고 인스타에 올리고 말고를 떠나, 내가 지금 손가락으로 스크롤을 내리는 것 외에 아무 일도 하고 있지 않다는 것을 알게 될 때 불안해지고 우울해진다는 이야기입니다.

공부를 해야 하는데 하고 있지 않으면 불안합니다. 취직을 해야 하는데 준비를 하고 있지 않으면 불안합니다. 다이어트를 해야 하는데 누워만 있다면 불안합니다. 예를 들어 당장 내일 시험을 치는데 과목이 10개라고 합시다. 한 번에 10과목을 공부할 수는 없습니다. 한 과목을 정해서 공부해야만 합니다. 그런데 어느 과목을 공부할지 결정하지 못하고, 교과서 표지만 이 과목 보고 저 과목 보면 불안합니다. 선택하고 전념해야만 합니다.

너무 많은 선택지들 사이에서 아무런 선택도 하지 않고 있는 것은 공허합니다.

마치, 도서관에 가서 모든 책들의 표지만 보고 있는 것과 같죠. 실제로 얻는
것이 없습니다.
수많은 책들의 표지를 볼 수야 있겠지만, 그 책속의 내용은 하나도 볼 수
없습니다. 수박 겉만 핥아서는 수박의 맛을 모르죠. 그렇게 살아서는 안
됩니다.

삶도 마찬가지입니다. 여기저기 겉만 기웃기웃 거리며 비교하다가는 아무
것도 알 수 없게 됩니다. 그러니 공허하고 불안하고 무기력할 수밖에 없죠.

어떤 선택이 더 나은 선택일까를 고민하기만 합니다. 설령 선택을 하고
집중하고 노력하려고 해도, 금방 더 나은 선택지가 있진 않을까 하고 빠져 나와
버립니다.

진득함이 없기 때문입니다.

노력의 대상을 찾고, 진득하게 해봐야 합니다.
책 표지는 그만 보고, 책을 펼쳐야 한다는 이야기입니다.

## 29.

## 왜 우리는 행복했던 기억보다도 불행했던 기억들, 힘들었던 기억들이 더 자주 떠오를까요?

잠에 들기 전 하루에 있었던 일들을 떠올리며 좋은 일들만 기억하며 잠에 드는 사람들은 잘 없죠. 그 날 있었던 힘들었던 일들을 주로 떠올리며 잠에 드는 경우가 더 많습니다.

불안감 자주 느끼시죠? 이 불안감은 심화되면 불행으로 까지 이어집니다. 행복보다는 불행을 더 자주 느끼는 것이 사실은 진화론적으로 보면 구조적으로 당연합니다. 아, 그럼 불행을 더 느끼는 것이 당연한 것이구나. 하고 넘어가시면 안 됩니다. 그런데 여기서 오해하시면 안 되는 것이 봅시다. 한의원에서 진료를 하다 보면 척추측만증이 있으신 분들 있죠. 척추가 왼쪽으로 휘어있습니다. 그러면, 아 내 척추가 왼쪽으로 휘어 있는 것이 당연하구나. 하고 넘어가시면 안 되는 것 이죠 오히려 반대로 오른쪽으로 다시 돌려놓기 위해서 평상시 잘못된 습관들을 버리고 오히려 오른쪽으로 다시 돌려놓기 위해 새로운 자세를 취하고 운동을 하셔야 겠죠.

마찬가지입니다. 불행을 더 잘 느끼는 것이 당연하다고 해서 그것이 옳은 것은 아닌 뜻이죠.

서론이 길었습니다. 시작할게요.

우리가 흔히 행복이라 여기는 것들은 생존, 풍족과 연관된 것들입니다. 맛있고 신선한 음식들, 서로 신뢰할 수 있는 깊은 유대관계, 안전하고 아늑한 주거지 등이죠. 초기인류에게도 마찬가지고 현대사회에서도 마찬가지로 중요한 것들이죠. 음식으로 예를 들어보겠습니다.

음식은 매일 먹어야 하죠. 굶주린 뒤 음식을 먹으면 정말 그 쾌감이 행복감이

짜릿합니다. 보디빌딩 시합을 위해 오랜 기간 커팅을 진행한 뒤 츄러스를 먹은 적이 있습니다. 도라에몽이 그려진 편의점에서 파는 츄러스 였는데, 참 기가 막히더군요. 우리는 생존을 위해서 음식 섭취를 100번도 아니고 1000번도 아니고 몇 만 번이나 해야 합니다.

그러니까, 음식섭취는 행복이고 쾌감인 것은 맞지만, 생존을 위해서는 당연한 겁니다. 몇 만 번이나 해야 할 아주 평범하고 지겹고 당연한 겁니다.

반면에, 우리가 불행이라 여기는 것들은 죽음, 위협과 연관된 것들입니다. 심한 악취를 내며 썩은 음식들이나, 생명을 위협적인 요소들 등이죠. 초기인류에게로 따지면, 맹수나 독사, 또 여러 세균이나 바이러스를 퍼뜨릴 수 있는 사체 등이 있겠죠. 독사로 예를 들겠습니다.

독사에게는 한 번 물리면 거의 삶이 끝난다고 봐야 합니다. 현대 사회에 이르러서도 해독제가 없는 독들이 많습니다. 하물며 과거 인류에게는 정말 치명적이었죠. 그러니까 이 케이스는 단 한 번입니다. 단 한 번의 실수로 독사를 못 보고 앞으로 독사가 있는 쪽으로 걸어간다면 죽는 겁니다. 단 한 번에 생명을, 모든 것을 잃는 겁니다.

앞서 말한 음식의 경우는 몇 만 번을 섭취해야 생존, 행복감으로 이를 수 있는거죠. 한 번, 한 번 식사하는 것은 당연한 것이고요.
독사의 경우는 완전히 반대입니다. 한 번은 치명적이고 절대적으로 불행한 겁니다.

그러니까 행복의 감정은 아주 작고 사소해야 하는 것이고요. 몇 만 번이나 반복을 해야 하는 것이니까요. 반면에, 불행의 감정은 아주 거대하고 증폭되어야 하는 것입니다. 한 번의 오판으로도 목숨이 사라지니까요.

그러니까 원래 불행에 관련된 감정이 더 힘이 셉니다. 왜 나는 불행한 생각을 자꾸 자꾸 하지? 그게 당연한 것이니까요. 그래서 제 결론은 불행은 당연하니까 불행하게 살자가 아닙니다. 우리는 그렇게 설계가 되어있는 상태이지만, 실제 우리가 처한 환경은 그렇지 않으니, 이것을 정확히 인지하고 굳이 불행할 필요가 없는 상태를 잘 파악하고 도전하자 이 이야기를 하고 싶습니다.

독사도 없고 맹수도 없습니다. 목숨이 날아갈 법한 치명적인 불행은 없습니다. 요즘의 불행은 돈을 좀 잃었다거나, 일이 좀 잘 안 풀린다거나 등등 이 정도죠. 과거 독사에 대한 공포심처럼 증폭시킬 이유가 없습니다. 그러니까 힘든 상황에 처해있더라도 이겨내 봅시다.

## 30.
무엇을 믿나요?


우리는 믿는 데로 행동합니다. 기독교 신자라면 예수님의 가르침에 따라 행동하고요. 불교 신자라면 부처님의 가르침에 따라 행동을 하죠. 옳다고 믿으니까요.
마찬가지로 종교가 없는 사람도 개인의 신념, 자신이 옳다고 믿는 가치관에 따라 행동을 합니다. 당신의 신념은 무엇인가요?

과학과는 또 다릅니다. 신념의 문제는 팩트와는 다르다는 이야기입니다. 나는 과학을 믿는다는 말 자체가 말이 안 되죠. 과학은 믿는 것이 아니니까요. 좀 더 이해되게 말씀드리겠습니다. 흡연, 음주, 과식은 과학적으로 우리의 건강에 이롭지 않죠. 그런데도 우리는 흡연을 하고, 음주도 하고, 때로는 과식도 합니다. 운동도 잘 하지 않고요. 또한, 아름다운 멜로디를 들으며 기뻐하기도 하고, 훌륭한 스토리의 영화를 보고 감탄하기도 합니다. 과학은 우리의 신념이나 믿음, 가치관을 설명할 수 없고 될 수 없는 겁니다.

다시 본론으로 돌아와 당신의 신념은 무엇인가요?

노력하면 된다는 것을 믿으시나요?
노력해도 안 된다고 믿으시나요?

당신의 신념이 무엇이든, 그 신념대로 될 것입니다. 아니, 최소 되지는 않더라도 그렇게 행동할 것입니다.

우리는 믿는 데로 행동합니다. 공부나 운동이나 잘 하면 좋은 것은 누구나 다 압니다. 그래도 공부를 하지 않고, 운동을 하지 않죠. 이유는 간단합니다. 하면 된다는 믿음이 없기 때문이죠.

뇌는 효율성을 추구합니다. 노력해서 안 되는 것보다 노력하지 않고 안 되는 것을 선호합니다. 그것이 에너지를 보존할 수 있고 그렇다면 생존에 더 유리해지니까요. 그런 식으로 진화해온 것이죠. 그러나, 그런 방식으로 진화해왔다고 해서 그것이 옳은 것은 아니죠.

하면 된다는 믿음이 강화되면 하겠죠. 전교 1등이 공부를 열심히 하는 이유와 올림픽 금메달 리스트가 운동을 열심히 하는 근본적인 이유는 하면 된다는 믿음이 있기 때문이죠. 해도 안 된다는 믿음이 있다면 왜 하겠습니까. 그렇다면 하면 된다는 믿음은 어떻게 강화할 수 있을까요?

간단합니다. 해서 돼야 합니다. 사소한 일을 하고 그 일을 되게 하는 것을 반복해야죠. 수학 문제 풀고, 맞추고를 반복해야 하는 거죠. 덤벨, 바벨을 들고 내리기를 반복해야 하는 거죠. 해서 되다보면, 하면 된다는 믿음이 강화됩니다. 강화되다 보면 신념이 됩니다.

이것이 삶의 가장 큰 자산입니다.

# 31.
## 나도 누군가의 희망이 될 수 있을까요?

이 영상을 보고 희망을 가졌으면 좋겠습니다. 자 보십시오. 솔직히 제 과거 사진을 보고 누가 넌 된다고 말할 수 있겠습니까? 정말로 일시정지해서 자세히 보십시오. 살벌합니다. 아무리 과거의 저라도 저인지라 수위도 조절한 겁니다. 저도 지금 제 체면이 있죠. 근데 그것보다 더 중요한 게 구독자분들에게 결국에는 된다는 희망적인 이야기를 하고 싶어서 그렇습니다.

과거를 떠올려 보면 제 자신에 대한 의심이 발목을 잡은 적이 많았습니다. 그때, 정말 누군가가 나타나서 걱정마라. 너는 무조건 된다고 이야기해줬으면 얼마나 좋았을까하는 생각이 듭니다. 오늘은 제가 구독자분들에게 구독자분들은 무조건 된다고 말씀드리고 싶습니다. 물론 지금도 여전히 수많은 문제들이 제게 있지만, 그럼에도 안 되는 이유 필요 없습니다. 결국에는 무조건 됩니다.

삶은 너는 절대 안 된다. 나는 결국에는 된다. 두 주장의 싸움입니다.

실제로 남들이 제게 너는 절대 안 된다는 이야기를 하기도 했고요. 저 스스로도 나는 절대 안 된다고 포기하고 싶은 적도 있었죠.
또 반대로 누군가 소수이긴 하지만, 너는 결국에는 된다고 이야기를 했고요. 저 스스로도 마음을 다 잡으며 나는 결국에는 된다고 다짐한 적도 있었죠.

너는 절대 안 된다는 명제는 참 깨기가 쉽습니다. 한 번만 제가 성공하면, 해내보이면 저는 앞으로 절대 안 되는 사람은 아닙니다.

또 나는 결국에는 된다는 명제는 정말 강합니다. 아무리 실패해도 괜찮습니다.

결국, 끝까지 가서 성공해내면 이 명제는 결국에는 참이 됩니다.

너는 안 된다는 명제는 약해서 이겨내기 쉽고요. 나는 결국에는 된다는 명제는 강해서 이뤄내기 좋습니다.

# 32.
## 상상훈련


인류 최초로 데드리프트 500kg을 성공한 에디홀은 어떤 생각으로 바를 들었을까요? 상상훈련을 했다고 합니다. 최악의 상황을 가정했어요. 자신의 아이들이 차에 깔려있다고 상상하고 들었습니다. 정말 진짜 자신이 그 최악의 위기 상황에 처해있다고 믿고 초인적인 힘을 발휘했습니다. 즉, 진짜 나쁜 조건이 더 큰 힘을 만든 것입니다. 만약 에디홀이 따사로운 햇살을 받으며 평화롭게 뛰어노는 아이들을 바라보며 커피를 마시는 상상을 했다면 들 수 있었을까요? 아니죠. 최악의 위기 상황이었기에 그것을 극복할 초인적인 힘이 필요했고, 발휘되었던 것이죠. 여기서 우리는 힌트를 얻을 수 있습니다.

현실이 괜찮다면 나쁜 조건을 실제 상황처럼 상상하고 초월적인 능력을 발휘하면 됩니다. 현실이 정말로 나쁘다면 따로 상상할 것도 없이 잘하면 됩니다.


우리는 주변에서 제일 부자가 되고 싶다는 생각을 하죠. 제일 잘생기고 몸도 좋고 인기도 많은 사람이 되고 싶기도 합니다. 제일 공부를 잘하는 사람이 되고 싶고, 제일 운동도 잘하는 사람도 되고 싶어 하죠. 그런데 제일 열심히 사는 사람이 되고 싶다는 생각은 왜 잘 하지 않을까요?
저는 생각을 거꾸로 하기로 했습니다. 제일 돈이 많지 않아도 좋고, 인기가 많지 않아도 좋고, 공부를 잘 하지 못해도 좋지만, 제일 열심히 사는 사람은 내가 되고 싶다고 말입니다. 저는 이 순수한 노력이 결국 통하리라 생각합니다.

오늘이랑 똑같은 하루를 500일보내면 더 나은 내가 될까를 진지하게 생각해봐야 합니다.

## 33.
자존감을 높이는 방법.


자존감이 떨어지는 이유가 뭘까요? 근본적인 이유가 뭘까?

내가 내 자존감을 왜 떨어뜨릴까. 그게 어떤 이득이 있다고 그런 일을 할까? 상식적으로 말이 안 된다. 내 몸과 마음이 편하자고 그러는 경우가 많습니다.

내가 내 자존감을 떨어뜨려서, 내가 그럼 그렇지 뭐, 제대로 뭘 할 수 있겠어. 난 해도 안 돼. 라는 사고방식을 가지는 것은 일종의 방어기제입니다. 내가 열심히 하기 싫은데, 힘든 것 싫은데, 귀찮은데 ! 마침! 어차피 해도 안 되니까, 안할래. 이런 식이죠. '해도 안 되니까, 안하겠다.' 모순이 없습니다. 그러니 괴롭지 않죠. 포기하면 편해. 포기하면 편한 사람들입니다.

그래서 하면 된다는 이야기를 들으면 격하게 부정합니다. '하면 된다.' 해서 되면 해야 할 이유가 생기는 것이니까, 열심히 해야 하고, 힘든 것 해야 하고, 귀찮은 것 이겨내고 성실해야 하는 이유가 생기는 것이니까요. 자존감 이 높은 사람들은 하면 된다는 마음이 있습니다. 이 사람들은 포기하면 불편한 사람들입니다. 하면 되는데, 포기하는 것은 모순이니까요.

그렇다면 자존감을 높이는 방법이 뭘까요? '나는 해도 안 되니까 안 할래' 라는 마음가짐을 '나는 하면 되니까 할래' 라는 마음가짐으로 바꾸는 법을 소개하겠습니다.

1. 남과 비교해서는 안 됩니다. => 인간은 아주 오랜 기간 동안 사회적 동물로 진화해왔기에 남과 비교를 아예 안 할 수는 없습니다. 그러나 인지능력 또한 아주 뛰어나기에 그 비교하는 것이 나의 발전에 도움이 되지 않는다는 것을 알고 컨트롤 할 수도 있죠.

잘난 사람과 비교를 한다고 해서 나의 가치가 줄어들지 않습니다. 못난 사람과 비교를 한다고 해서 나의 가치가 늘어나지 않습니다. 다만 착각하게 될 뿐이죠. 잘난 사람과 비교를 하면 내가 못났구나 하는 열등감, 절망감이 듭니다. 못난 사람과 비교를 하면 내가 잘났구나 하는 우월감, 자만심이 듭니다. 열등감이 든다고 해서 실력이 준 것이 아니고, 우월감이 든다고 해서 실력이 는 것이 아닙니다. 어느 쪽이든 도움이 되지 않습니다.

내가 반에서 15등이라면, 1등과 비교한다고 해서, 30등과 비교한다고 해서 내 성적이 바뀌는 것이 아니듯

남과의 비교는 나의 가치를 높이는 데 별 도움이 되지 않는다. 열등감, 우월감을 줄 뿐, 실력에는 아무런 변화를 주지 않습니다.

2. 부정적인 생각을 하지 말아야 합니다. => 부정적인 생각은 게으름입니다. 해도 안 되니까 안한다는 논리일 뿐입니다. 해도 안 된다면, 안하는 것이 이성적이고 합리적입니다. 그렇지만, 하면 된다는 마음가짐이라면, 하는 것이 이성적이고 합리적이죠. 불굴의 의지로 불가능할 것 같은 목표를 이룬 사람은 참 많습니다. 해도 안 된다는 부정적인 생각은 아무런 도움이 안 됩니다. 그러므로 할 필요가 없습니다. 해서 되든 안 되든 하면 된다는 사고가 오히려 더 이성적이고 합리적이죠.

3. 운동을 해야 합니다.

자존감이랑 운동이랑 무슨 상관일까 싶을 수 있습니다. 앵무새로 설명해보겠습니다. 앵무새는 높은 곳에서 드넓은 시야를 확보하며 다양한

시각적 자극을 받아야 하고, 힘차게 날개짓을 하며 근육을 역동적으로 써야 하며, 바람의 느낌을 깃털로 느껴야 합니다. 이렇게 필요한 자극을 받는 앵무새들은 아주 건강하고 털에 윤기가 납니다. 반면, 필요한 자극을 못하고, 새장 안에 갇혀만 있게 되면, 자기의 깃털을 뽑는 자해 행위를 합니다. 이 자해 행위는 아무것도 개선하지 못하죠. 정말 아무 쓸모없는 일입니다.

인간도 마찬가지로, 다양한 감각적 자극이 필요하고, 공부가 필요합니다. 힘껏 근육을 활용하는 운동을 해야 하죠. 그렇지 않고 새장에 갇힌 듯 필요한 자극이 없는 일상만 반복한다면, 앵무새처럼 자해를 합니다. 깃털을 뽑는 대신, 자존감을 떨어뜨리고 자기비하를 합니다. 이러한 정신적 자해 역시 아무것도 개선하지 못합니다. 아무런 이득이 없죠.

그러니 운동하기 싫어도 해야 합니다.

4. 나를 환경에 맞추려 하지 말아야 합니다.

나는 나를 높게 생각하지만, 나를 둘러싼 환경이 나쁠 때, 그 괴리를 견디기 힘들어 자존감을 낮춰버릴 수 있다. 이럴 때가 나에 대한 믿음이 필요한 순간이다. 지금 당장 내 현실은 내 환경은 빈약하더라도, 나는 할 수 있다고, 나는 더 나은 사람이라고 나를 믿어야 한다.

그 괴리를 극복하는 방법은 나에 대한 믿음을 져버리고 스스로 무너져서 궁핍한 환경에 적합한 인물이 되거나, 끝까지 나를 믿고 일어나서 내 주변까지 일으켜 훌륭한 나에 걸맞은 내 환경을 일구거나 두 가지다.

궁핍한 환경에 적응하여 살아가기도 힘든 일이고, 끝까지 나를 믿고 노력하는 것도 힘든 일이지만, 결과가 다르죠. 답은 명확합니다. 나를 믿고 노력해야 합니다.

# 34.
## 새벽형 인간

저는 새벽형 인간입니다. 이른 새벽에 가끔 달을 볼 수 있습니다. 그 달을 보면 참 기분이 좋습니다. 그 시간대에 비가 오나 눈이 오나 무언가를 하러 간다는 것은 그 만큼 그 일을 사랑한다는 반증이니까요. 힘들게 무언가를 한다는 것은 그 만큼 그 힘듦보다 애정이 더 크다는 뜻이니까요.

지나고 보니 내가 참 운동을 좋아해서 이렇게 열심히 했구나라고 느끼는 것이 아니라, 내가 열심히 한 것을 보니 내가 참 운동을 좋아 했구나 이렇게 느껴집니다.

유튜브를 보다가 한 영상을 봤습니다. 상담을 요청한 분의 이야기는 이렇습니다. 원래 본인이 성격이 모나지는 않는데, 이상하게 특정 사람과 트러블이 자주 일어나고 원수같이 지내는 것에 고민이었습니다. 스님께 여쭈었습니다. 스님, 도대체 우리는 전생에 무엇이었길래 지금 이렇게 원수같이 서로 죽이네 살리네 하며 살까요.

스님이 말씀하시기를, '원수였겠지. 그게 카르마죠. 지금 그렇게 원수처럼 지내는걸 보면 전생에는 당연히 원수였겠지요. 전생에 원수라서 현생에 원수인게 아니라 현생에 원수인걸 보니 전생에 원수였겠구나 하는 거에요.'

이 이야기를 듣고 인과관계에 대해 생각하게 됐습니다. 통상적으로 과거의 일이 원인이 되어 현재의 결과가 이뤄졌다고 생각하죠. 그러나, 역으로 현재를 보고 그것을 통해 과거를 결정지을 수도 있는 겁니다. 어찌 보면, 현재가 과거를 판단하는 원인이 된 거죠. 시간 순서 상 말이 안 되지만, 현재가 과거의 원인이 된 겁니다. 현재를 보고 과거를 판단했으니까요.

그렇다면, 만약 저 상담을 요청한 분이, 그 특정 사람과 너무 잘 지낸다. 너무 사랑한다면 전생에도 역시 지극히 사랑했던 연인이었겠지 하는 거겠죠. 그러니까 무엇이든 현재가 지금 이 순간이 참으로 중요하다는 걸 알 수 있는 이야기였습니다.

지금 잘 살아야 합니다.

저는 보디빌딩을 오랜 기간 했습니다. 그리 오래 살지 않은 제 인생 중 10년이 훌쩍 넘었으니까요. 시간이 흐를수록 보디빌딩이 있던 삶의 비중이 없던 삶의 비중에 비해 커져가고 있습니다.

저는 고등학생 때부터 본격적으로 이 운동을 했습니다. 그 시작부터 지금까지 항상 핑계는 있었죠.

고2 때는, 이제 내신이 반영이 되니 공부에 집중해야할 시기다. 운동하기가 현실적으로 힘들 것이다. 운동은 나중에 할 시간이 많다.
고3 때는, 이제 수능이 코 앞이니 공부에 집중해야할 시기다. 운동하기가 현실적으로 힘들 것이다. 운동은 나중에 할 시간이 많다.
재수 때는, 재수를 실패하면, 3수는 실패나 다름없다. 공부에 집중해야할 시기다. 운동하기가 현실적으로 힘들 것이다. 운동은 나중에 할 시간이 많다.
대학생 때는, 시험 성적을 잘 받지 못하면, 유급을 하게 된다. 학비며 시간이며 손해 보는 부분이 매우 크다. 운동하기가 현실적으로 힘들 것이다. 운동은 나중에 할 시간이 많다.
사회에 나왔을 때는, 출근하고 퇴근하면 몸이 피로한데, 운동하기가 현실적으로 힘들 것이다. 운동은 나중에 은퇴하고나 할 시간이 있을 거다.

이제 앞으로는 결혼을 하면, 자식을 키우게 되면, 개원을 하게 되면 등등 쭉 수많은 운동을 포기할 이유들이 생겨나겠죠?

하지 않을 이유, 포기할 이유는 탄탄했죠. 다 합리적이고, 근거 있는 이야기입니다만, 상관없습니다. 저는 그 때, 저 모든 이유들을 무시했기 때문에 지금 만족할 수 있습니다. 또 지금 저 역시 어떠한 일을 할 때, 여러 안 되는 이유들을 무시합니다.

모든 안 되는, 하기 싫은 이유들을 적어 놓고 그 뒤에 '그럼에도 불구하고' 라는 부사 하나를 붙인 뒤 다시 적어나가면 됩니다.

안 되는 이유들을 무시할 때부터 되기 시작합니다.

## 35.
### 침팬지와 인간


실패했다는 것은 다른 말로 성공하지 못한 것이죠. 다시 말해 미성공의 시기, 미완성의 시기, 미성숙의 시기가 길어졌다는 뜻이기도 합니다. 재수,N수를 하거나 모은 자금으로 사업을 했으나 실패하여 다시 돈을 모아야 하는 시기거나 등등 다양한 모습이겠죠.

대부분의 포유류는 뇌가 거의 완성된 상태로 태어납니다. 두개골 역시 단단한 상태로 태어납니다. 영장류의 경우는 두뇌 성장 및 골화가 좀 천천히 진행되긴 합니다만, 인간의 경우는 그 중 특히 훨씬 느립니다.

침팬지는 출생 시 두뇌의 무게가 성체 두뇌의 무게의 40.5%입니다. 반면 인간은 23%입니다. 또 생후 1년이 되면 아기 침팬지의 뇌는 성체 두뇌의 70% 정도가 됩니다. 반면 인간은 3년째에 접어들어야 비슷한 비율이 됩니다. 출생 시 두뇌 크기도 최종 두뇌 크기에 비해 현저히 적고, 성장속도도 현저히 느립니다.

인간은 사실 침팬지와 DNA 염기 배열상의 차이가 1.2%정도 차이가 납니다. 인간끼리의 차이는 0.1%정도입니다. 인종간의 차이가 0.1% 인간과 침팬지의 차이가 1.2%입니다. 전반적인 유전적 차이는 정말 적습니다. 그런데 어찌 체감하는 종간의 차이가 그리 클 수 있을 수 있을까요? 스마트폰을 보고 자율주행 자동차를 타는 인간과 나무 막대기를 집어 흰개미를 쓸어 먹는 침팬지의 차이 말입니다. 그 차이의 이유를 알게 된다면 저는 인간이 인간으로서 가질 수 있는 특징을 알 수 있다고 생각했습니다.

인간은 특히 발달 속도가 느립니다. 간단히 비교해서 개는 1년이면 다 크지만, 인간은 20년은 커야죠. 군대 갔다 와서도 큰다는 말이 있을 정도죠. 게다가 인간은 발달이 특히 덜 된 상태에서 태어납니다. 뇌가 최종 크기 그러니까 성인 뇌의 1/4이 되었을 때 태어납니다. 자궁 내에서 더 커질 수야 있겠지만, 머리가 더 커지면 출산 시 산모의 목숨이 위험해지기 때문에 그 쯤 되었을 때 출생되는 방향이 좋았고 그런 케이스만 살아남게 되었다고 봐야죠.

아무튼, 인간은 출생 후에도 오랜 시간에 거쳐 아주 천천히 그리고 느리게 성장해갑니다. 성장의 완성점이 아주 멉니다. 두뇌의 크기는 출생 후 4배나 커져야 하죠. 세상에 태어나 수많은 것들을 접하고 익히고 체험하며 학습합니다.

다른 동물들 보다 미완의 상태로 태어나 완성으로 향해가는 기간이 특히 긴 인간, 다시 말해 아직 완성되지 않았기에 성장하고 발전할 수 있는 여지가 많고 다양한 것이 인간입니다.

지금 내모습도 마찬가지입니다. 무엇 하나 제대로 이룬 것이 없는 미완의 상태라며 좌절할 것이 아니라, 오히려 그러한 상태이기에 나는 무엇이든 될 수 있고 성장 중이라고 기뻐할 것입니다.

미성숙의 시기가 길어 성장기가 긴 특징 덕에 인류는 지구의 지배종이라고 할 만한 특별한 종이 되었다고 생각이 듭니다.

만약, 내가 지금 미성숙하다면, 미완성되었다면, 미성공의 상태라면 아직 성장 중이니 좌절하지 말 것이고, 어느 정도의 성공을 거두었다 생각이 들어서 성숙하고, 완성되었다는 생각이 들면 더 이상의 성장이 없다는 뜻이니 그 생각을 고쳐먹어야 합니다. 아직 나는 미완성이라고 말입니다.

## 36.
## 좋은 게 좋은 것일까?


'좋은 게 좋은 것일 수도 있지.'

모든 손님들에게 맛있는 음식을 제공하는 요리사가 있다면 좋은 분 아닐까요?

그럼 생각해봅시다.

모든 학생들에게 A+를 주는 교수가 있다면, 좋은 분일까요?

그럴 수도 있겠습니다만, 그럼 또 생각해봅시다.

모든 범죄자들에게 무죄를 선고하는 판사가 있다면, 좋은 분일까요?

그렇지 않겠죠.

어느 차원에서 생각하느냐, 어느 기준에 따라 판단하느냐에 따라 좋은 것은 좋은 것이 아닐 수 있습니다. 오히려 나쁜 것이 있어야만 좋은 것이 만들어지는 경우가 있죠. 악이 있어야만 선이 있습니다.

다시 말해, 요리를 못하는 요리사가 존재하기에 유명한 셰프가 의미가 있고요. 학점을 분별력 있게 주는 교수가 있기 때문에, 누구는 F를 받고 누구는 A를 받으니까, 학점이 의미가 있고 신뢰성을 갖게 되는 겁니다. 또 누군가는 무기징역에 사형을 선고 받아야 하고, 누군가는 무죄를 선고 받아야 하겠죠. 사회의 질서와 정의를 위해 누군가에게는 최악의 벌을 내릴 수 있어야 좋은 판사입니다.

최악이 존재해야만 최선이 의미가 있어집니다.

덧셈만 할 수 있어도 그 사람을 천재라고 부르는 세상이 있다면, 그 세상은 발전이 없을 겁니다. 최고의 기준이 너무 낮기 때문입니다. 덧셈만 해도 최고라면, 무슨 어떤 발전이 더 필요하겠습니까. 마찬가지로, 아무 것도 하지 않는 나를 너무 오냐오냐 스스로 받아줘서는 안됩니다. 있는 그대로 나는 최고가 아닙니다. 이것은 마치 덧셈만 배워놓고 나는 천재라고 근거없고 대책없는 자기위로일 뿐입니다. 우리는 우리의 최악을 인정하는 순간 더 나아질 수 있습니다.

내 요리가 맛이 없다는 것을 알 때, 요리사는 연구하고 노력합니다.
내가 환자를 잘 치료하지 못한다는 것을 알 때, 한의사는 공부하고 연구하고 노력합니다.

내 삶이 제대로 흘러가고 있지 않다는 것을 인정할 때, 우리의 삶은 더 나아질 수 있습니다.

## 37.
### '중용' 들어보셨죠?


동양 철학의 기본 개념으로 사서의 하나인 ≪중용≫에서 말하는 도덕론. 지나치거나 모자람이 없이 도리에 맞는 것이 '중(中)'이며, 평상적이고 불변적인 것이 '용(庸)'이다.

대학생 때 교과서였는데요. 참 애먹었던 기억이 있습니다. 그 당시에는 시험 통과하느라 무작정 외우기만 해서 얼마나 훌륭한 철학인지 잘 몰랐죠.

간단하죠. 너무 지나치지도 않고, 모자라지도 않게. 체온으로 봅시다. 36.5도 내외가 정상 체온입니다. 이 체온이 높아져서 40도만 넘어가도 사망에 이를 수 있고요. 체온이 떨어져서 28도 이하가 되어도 사망에 이를 수 있습니다. 너무 높아도, 너무 낮아도 안 좋죠. 36.5도 내외가 적절합니다.

저는 행복한 일상, 이라는 단어가 좀 어색합니다. 일상은 딱히 행복하지도 않고, 딱히 불행하지도 않은 것이 일상이라 생각을 하거든요. 유달리 기쁜 일이 생긴다거나, 슬픈 일이 생기는 것은 일상이 아니라 사건이라고 봐요. 행복한 사건은 있을 수 있어도, 행복한 일상은 어색하게 느껴집니다.

영상 도입부에 중용 이야기를 했죠? 그리고 체온 이야기도 했습니다. 지나치거나 모자람이 없이 도리에 맞고, 평상적이고 불변적인 것이 중용입니다. 일상이 그렇습니다. 우리의 일상은 행복해서 또 불행해서 의미가 있고 소중한 것이 아니죠. 적절하기 때문에 의미가 있습니다.

그러니 SNS에 항상 행복해 보이는 일들만 올리며, 항상 행복한 것이 일상인 것처럼 보이는 타인들과 비교하며 주눅 들고 우울할 필요 없습니다. 체온도 계속 높게 있으면 좋지 않죠. 구역, 실신 더 심해지면 145 신경학적 증상도 동반하고 사망에 이릅니다. 돈도 마찬가지죠. 돈이 너무 많아서 불행한 경우도 많죠. 근육도 마찬가지입니다. 스테로이드 쓰고, 성장호르몬 맞고, 이런 욕심들은 불법이기도 하며, 또 건강에도 해롭죠.

우리의 일상은 꼭 행복하거나 불행해야 의미가 있는 것은 아닙니다. 오히려 행복하지도 않고, 불행하지도 않기에 더 의미가 있고 올바른 겁니다. 충분히 잘하고 계십니다.

## 38.
**태평성대에는 영웅이 필요가 없다.**


아무런 문제가 없는데, 문제를 해결해 줄 영웅은 필요가 없습니다. 오히려 태평성대의 영웅이 나타난다면 그 영웅은 평화가 아니라 전쟁을 가져올 것입니다. 난세에는 영웅이 필요하다. 문제들이 차고 넘칠 때, 그 문제를 해결해줄 영웅이 필요한 것은 당연합니다.

만약, 내가 지금 문제에 처해 있다면, 내 스스로가 영웅이 될 필요가 있죠. 태평성대, 전성기를 누리고 있다면야, 조금 편히 살아도 좋겠지만, 그렇지 않다면 우리는 우리의 영웅이 되어야만 합니다.

임진왜란이 있었기에 이순신 장군이 빛을 발했습니다. 임진왜란이라는 큰 전쟁이 없었다면 이순신이라는 위인도 우리는 알 수 없었을 것입니다. 개인의 삶으로 비유하자면 큰 사고, 문제가 생겼을 때 우리는 위대해질 수 있다는 뜻이기도 하죠.

위기를 기회로 삼자.

긴장감이란 내가 무언가 잘 고 싶을 때, 이기고 싶을 때 생기는 느낌입니다. 내 일상 속에서 긴장감이 없다면, 문제가 있는 겁니다.

링 위에 있다고 상상해봅시다. 내 마주 편에 있는 저 사람을 시합에서 이기고 싶을 때 드는 그 감정이 긴장감입니다. 오랜 기간 라이벌을 마주했을 때, 정말 이기고 싶은 그 마음은 긴장감으로 표현이 됩니다. 반면, 5살짜리 꼬마아이를 마주했을 때, 이기고 싶은 마음이 없기에 긴장감도 없을 것입니다.

이기고 싶고 잘하고 싶을 때 생깁니다. 우리의 삶 속에 긴장감을 느끼는 순간이 얼마나 되는가 한 번 돌이켜봅시다. 내가 얼마나 잘하고 싶어 하는 것들이 있는가를 돌이켜보자는 뜻입니다. 없다면 나는 지금 잘하고 싶은 게 없다는 것이죠.

이 긴장감은 사실 또 두 가지로 나뉩니다.

적극적인 주체적인 긴장감과 소극적인 타의적인 긴장감 입니다. 내가 저 라이벌과 맞서 싸우기 전, 어렵고 중요한 시험을 앞둔 순간은 주체적인 긴장감입니다. 내가 어떻게 하느냐에 따라 결과가 달라지기 때문이죠. 나의 행동과 노력이 중요합니다.

반면, 내 전 자산을 도박에 걸었을 때, 롤러코스터를 탔을 때는 그렇지 않죠. 나는 중요하지 않습니다. 내가 어떻게 하느냐에 따라 결과가 달라지지 않는 상황입니다.

전자는 내가 어떻게 하느냐에 따라 달린 긴장감이고 후자는 내가 어떻게 할 수 없는 긴장감입니다. 내가 말하는 우리가 필요한 긴장감은 전자입니다. 우리의 손에 달린 그 긴장감, 잘하고 싶다는 간절한 그 마음입니다.

## 39.
플라나리아


재생능력이 아주 뛰어납니다. 토막을 내어도 재생이 잘됩니다. 도마뱀처럼 꼬리를 재생하는 정도의 수준이 아니라, 뇌와 피부 등 모든 기능적 기관들을 재생할 수 있습니다. 새로운 개체로 만들어 지죠.

무튼 소개는 여기까지 하고요.

이 플라나리아로 실험을 한 것이 있습니다. 머리를 잘라도 기억 잃지 않는 다는 결론이 나왔죠.

실험 내용은 이렇습니다. 먹이와 전기 충격이 공존하는 환경에 플라나리아를 둡니다. 열흘 만에 먹이가 있는 곳과 전기 충격을 당하는 곳의 위치를 구분해 기억하고 행동했습니다.

그러자 연구팀에서 환경에 적응한 플라나리아들을 꺼내 머리를 잘랐습니다.

2주 뒤에 머리가 다시 자란 플라나리아, 즉 새로운 뇌가 생긴 플라나리아를 같은 환경에 노출시키자 놀랍게도 먹이가 있는 곳과 전기충격이 있는 곳을 기억해내고 구분했던 것이죠.

신기합니다. 학습이 된 플라나리아의 뇌를 자르고 새로운 개체가 만들어졌는데, 아예 뇌가 새로운 뇌인데 새것인데, 그 개체가 학습이 된 플라나리아처럼 행동을 하니까요.

이런 사례를 보면, 뇌에만 머리에만 무언가를 입력하는 것이 아니구나. 내 몸에도 행동으로 근육으로 근세포로 신경세포로 다 입력이 될 수 있겠구나.

생각이 듭니다.

우리는 보통 알아야지 행동한다고 생각하잖아요. 그런 부분도 크죠. 맥도날드를 계속 먹는 이유는 그 햄버거가 맛있다는 것을 알기 때문이죠. 그런데 맥도날드를 참는 이유는 햄버거가 살이 찐다는 것을 알기 때문이죠. 이렇게 지식이나 앎은 어떤 행동을 하게 유도합니다. 그래서 배움은 중요하죠. 운동이 정말 가치 있다는 것을 알게 되면 운동을 하게 될 겁니다. 그래서 다이어트 해본 사람이, 몸을 만들어본 사람이 좋은 것을 아니까 계속 몸을 만들 수 있겠죠.

무튼, 플라나리아 실험 사례를 본다면 우리가 머리로 입력해서 행동을 하는 것도 좋지만, 그것이 잘 되지 않는다면, 일단 몸에 입력을 하는 겁니다. 행동을 계속 하는 겁니다. 그래서 마치 뇌가 잘려도 몸이 기억하는 플라나리아처럼, 우리도 머리로는 이해가 안 되더라도 행동으로 몸으로 이해하며 발전적인 일을 할 수 있는 겁니다.

아, 왜 운동을 해야 하지? 도무지 모르겠다. 머리로는 몰라도 상관없습니다. 그냥 하면 됩니다.

# 40.
## 필요하고, 도움이 되는 일들은 하기 싫은 경우가 많고,


필요 없고, 도움이 안 되는 일들은 하고 싶은 경우가 많죠.

공부나 운동이나 연습을 하기 위해서는 수없이 다짐하고 결심해야 하지만,
친구들과 약속에 나가거나 게임을 하고, 술을 마시기 위해서는 아무런 결심도
필요 없죠.

열심히 살아볼 것이라고 수없이 다짐하고 이번만은 다르다며 결심을 해보지만
금방 무너집니다. 매일 이런 식으로 동기부여 받고 결심하기도 지치죠. 도대체
열심히 할 수 있는 방법이 무엇일까 고민이 듭니다.

저도 매일 운동을 하려고 하는 편입니다. 365일을 다 채우지는 못하지만 거의
채우죠. 제 심정도 같습니다. 무거운 쇠를 들고 숨이 차며 근육이 아픈 이 힘든
운동을 어떻게 할 수 있을까요? 압도적인 의지력이 있어서? 아닙니다. 하루를
중요시 여겼기 때문입니다. '오늘 하루 쯤이야' 라며 하루를 가볍게
여겨서는 이룰 수 없는 일입니다.

오늘 하루가 중요해 라며 하루를 무겁게 여겨야 합니다. 이렇게 모인 하루들은
점점 견고해지고 단단해집니다. 공부나 운동, 연습이 즐거워지진 않지만
꾸준히 해야만 충만감이 느껴집니다. 오래 하다보면 이러한 노력들을 한다고
해서 뿌듯하고 막 기쁘진 않습니다. 단지 기본이 될 뿐입니다. 이 정도 운동?
공부? 연습? 나에게는 기본이 되는 겁니다. 그냥 하게 되는 겁니다. 기본이다
보니 하지 않으면 죄책감도 느껴지고, 불안해집니다. 그래서 결국 하게 됩니다.

a4용지 한 장은 찢기 쉽죠. a4용지 한 묶음은 못 찢습니다. 하루는 쉽지만,
그렇게 모인 많은 하루는 결코 쉽지 않습니다. 당신의 하루는 가벼운가요?

무거운가요?

# 41.
## 할랜드 데이비드 샌더스

실패를 한 뒤 힘든 시간을 보내고 있다면, 큰 위로가 될 이야기입니다. 이 사람의 삶을 보고 있으면, 실패를 하든, 성공을 하든 크게 상관없이 최선을 다하고 자신의 신념을 지키며 살아가는 사람 같습니다. 실패를 하면 실패를 했기에 휘둘리고, 성공을 하면 성공을 했기에 휘둘리는 삶이 아닌, 자신의 신념과 의지를 최우선으로 여기고 그 뒤에 실패와 성공은 단지 부수적인 요소로 본 것만 같습니다. 우리는 성공만을 좇으며 살지 않습니까? 그러다보니 실패를 하면 힘들기도 하고, 우울하기도 하죠. 생각을 바꿔 봅시다. 성공을 좇을 것이 아니라, 실패를 피하려고 할 것이 아니라 그것들은 아무래도 상관없고 내가 최선을 다하고 내 의지를 다해 삶을 살아가 보는 것은 어떨까요?

KFC를 창립한 기업인입니다. 알려져 있기로는 KFC창립까지 1009번이나 시도한 것으로 나와 있습니다만, 둘째 부인의 증언에 따르면 대략 600~790번의 도전을 한 것이라고 합니다. 이러나 저러나 대충 700번 정도 실패했다고 보시면 되겠습니다.

6살에 아버지를 잃었습니다. 12살에 어머니가 재혼을 했지만, 계부가 아주 못된 인간이어서 2년 후 고향을 떠납니다. 16세에 미합중국 육군에 입대하지만, 4달 만에 전역합니다. 19세에 조세핀 킹이라는 사람과 결혼 후 세 명의 아이를 낳습니다. 여러 사업을 했지만 계속 실패합니다. 나중에는 첫 레스토랑을 운영하다 종업원과 불륜을 하게 되고 조세핀 킹과 이혼 후 재혼하게 됩니다. 인자해 보이는 이미지 이지만, 실제 성격은 불같았습니다. 요리에 대학 자부심과 철학이 상당하였죠. 원가절감을 위해 요리의 맛이나 질이 떨어지면 육두문자를 퍼부었다고 하니까요. 실제 KFC체인점이 보이면 들어가 메뉴들을 시식하고, 자신의 기준에 맞지 않으면 바닥에 집어 던져버리고 욕을 했다고 합니다. 성격의 좋은 면도 있습니다. 사업이 잘 되어감에 따라 빈곤층을 위해 직접 봉사도 많이 했습니다. 봉사를 할 때, 의사가 없는 마을의 임산부가 출산을 하게 되었는데, 태아의 자세가 틀어져 있어 위험한 상태였습니다. 이에 샌더스는 아랫마을의 의사에게 찾아가 도움을 요청합니다. 하필 의사가 만취해 있어 샌더스의 요청을 거부하게 됩니다. 이에 샌더스는 집으로 돌아와 총을 챙긴후 다시 의사를 설득??하러 갑니다. 다행히 덕분에 출산을 잘 마무리 하게 됩니다.

이렇듯 나쁘기도, 좋기도 했던 그의 삶입니다. 참 배울 점이 많습니다.

군인이기도 했고, 석탄을 나르는 일을 하기도 했고, 야간 대학을 다니며 법률을 익혔고, 보험업종, 각종 판매업종, 산파까지도 맡았습니다. 국회의원에 도전 후 실패하여 재산을 다 날리기도 합니다. 700번 정도 실패를 했다고 하는데 했던 일들을 다 나열할 수는 없겠죠. 결국 그는 KFC로 성공하기 전에 월 105달러의 사회보장금과 낡은 트럭 한 대밖에 남지 않은 상태에 이릅니다. 이 상태에서 한 도전의 성공으로 KFC가 탄생합니다.

헤밍웨이의 명언이 생각이 납니다.

세상은 그 어떤 사람일지언정 부러뜨릴 수 있다. 하지만 부러지고 난 뒤에 강해지는 사람들도 있다. 그 사람이 바로 위인이다.

샌더스의 명언입니다.

훌륭한 생각을 하는 사람은 많지만, 행동으로 옮기는 사람은 드물다.

인생 최대의 어려움 뒤에는 인생 최대의 성공이 숨어있다.

누가 최고경영자가 되든, 조직이 어떻게 변하든 나는 관심 없습니다. 하지만 딱 하나 음식의 맛이 떨어지는 것은 결코 참을 수 없습니다.

현실이 슬프게 다가올 때면 그 현실을 보지 말고 멋진 미래를 보아라

저에게는 딱 두 가지 규칙이 있었습니다. 최선을 다하고 최선을 다하십시오

## 42.
## 행복은 지금 뿐이다.


지금 행복하게 살자는 이야기가 아닙니다.

아무리 과거에 불행했더라도 지금 행복할 수 있고, 아무리 미래에 행복이 예정되어 있더라도 지금 불행할 수 있습니다. 과거나 미래가 행복을 결정하진 못 합니다. 오직 지금만이 행복을 결정할 수 있습니다.

그러기에, 행복을 목표로 사는 것은 굉장히 위험합니다. 과거로부터 배운 것들도, 미래를 대비하는 마음들도 활용할 수 없기 때문이죠. 행복을 추구해야할 목표로 삼게 된다면, 많은 일들을 포기해야만 합니다.

지금 열심히 공부하고, 다이어트하고, 운동하고, 노력하는 삶은 불행할 수 있습니다. 행복을 추구한다면, 이러한 일들을 끈기 있게 할 수 없습니다. 과거의 맛있는 햄버거를 먹고 행복했던 기억이 있다고 해서, 지금 배고픈 내가 행복한 것은 아니죠. 무관합니다. 오히려 과거의 그 행복했던 기억은 현재의 불행을 가중시킬지 모릅니다. 정말 맛있는 햄버거를 먹고 행복하고 싶다면 지금 먹는 수밖에 없습니다. 이런 식으로 행복을 추구한다면, 나는 평생 뚱뚱하게 살게 됩니다. 곧 당뇨를 마주하게 될 수 있고, 육체적 정신적인 고통 속에서 살게 될 가능성이 높아집니다. 미래도 마찬가지죠. 미래에 햄버거를 먹을 수 있을 것이라고 해서 지금 배고픈 내가 행복한 것은 아닙니다. 행복을 목표로 하는 사람은 항상 지금을 살 수밖에 없는 것입니다. 행복은 지금에만 있는 것이니까요.

즉, 내가 끈기가 없는 이유는 어찌 보면 행복을 목표로 삼고 추구하고 있기 때문이라고 할 수도 있습니다.

이러한 사고 자체를 통째로 바꿔야 합니다. 나는 행복을 추구하는 사람이 아니라 의미와 가치를 추구하는 사람이라고 말이죠.

과거의 과오를 본보기 삼고, 미래의 가치를 등불삼아 현재를 살아가야 합니다. 미래를 위한 현재의 희생이 아닙니다. 내 삶을 이루는 모든 시간대를 고려한 의미 있는 선택입니다.

높은 목표를 설정하고 가치를 추구하는 과정에는 과거도 있고, 현재도 있고, 미래도 있습니다. 절제도 노력도 헌신도 실패도 성공도 있을 것입니다. 그러한 방식으로 우리는 좀 더 나은 삶을 살 수 있을 것입니다.

# 43.
## 호랑이와 사슴

특정 문제가 발견된 같은 상황에도 발전적인 사고, 희망찬 미래, 목표에 집중하는 사람들은 '아! 이걸 고치면 이렇게 더 나아질 수 있겠구나'라고 생각하며 집중하고 탐구합니다. 소위 말해 몰입하게 됩니다.

불평불만의 사고, 절망이 찬 현재, 악조건에 집중하는 사람들은 '아! 왜 이런 불행이 나에게 닥치는 건가'라고 생각하며 이리저리 정신없어 하고 집중하지 못하며 멘붕 상태에 이릅니다.

비유하자면,
발전적인 사고를 가진 사람들은 호랑이와 같습니다. 호랑이가 사슴을 좇을 때, 그 사슴이 어디로 뛰어가는지 방향전환을 어떻게 하는지, 생김새는 어떠한지, 크기는 어떠한지, 모두 파악하고 지각할 수 있습니다. 목표에 집중하는 사람들은 사슴을 좇는 호랑이와 같습니다. 사슴에 대해 다 파악하고 이야기할 수 있듯이, 자신의 목표가 어떻게 진행되고 있는지 어디로 가고 있는지 지각하고 이야기할 수 있습니다.

반면, 불만에 가득찬 사고를 가진 사람들은 사슴과 같습니다. 자신의 목표물은 없다. 다만, 뒤에서 호랑이가 좇아오고 있다는 사실만 압니다. 호랑이가 어떻게 생겼는지 얼마나 자신에게 가까이 다가왔는지도 모릅니다. 그냥 무작정 앞으로 보고 여기저기로 뜁니다. 아무 목표물에도 집중하지 못하고 정신은 말 그대로 혼비백산 상태죠.

지금 내가 내 목표에 대해 집중하고 있는가, 뚜렷하게 그것을 설명할 수 있는가. 그렇다면 나는 호랑이 같은 삶을 사는 것입니다.

내 목표가 무엇인지 모르고, 그냥 휩쓸리듯, 혼비백산, 정신없이 살아가고 있다면, 나는 사슴 같은 삶을 살고 있는 것입니다.

우리는 보고 있고, 집중하는 것에 대해서 설명할 수 있습니다. 사생대회 때 경치 좋은 곳으로 소풍을 떠나 그림 그리던 날을 떠올려 봅시다. 우리는 눈앞에 보이는 멋진 풍경을 그릴 수 있죠. 아름다운 풍경을 보고 아름다운 그림을 그리려고 합니다. 반면, 시궁창을 보고 있다면 시궁창을 그리게 될 것입니다.

내가 희망찬 목소리로 무언가를 이야기하고, 열정을 갖고 할수 있다는 이야기를 하고 있다면 나는 목표에 집중하고 있는 것입니다. 아름다운 풍경을 보고 그 아름다움을 내 인생 위에 그리려고 하고 있는 셈이죠.

반면, 절망에 찬 목소리로 무언가를 이야기하고, 최악을 상상하며 할 수 없다는 이야기를 하며 불평불만하고 있다면, 나는 절망에 집중하고 있는 것입니다. 시궁창을 보고 더러움을 내 인생 위에 그리려고 하고 있는 셈이죠.

나는 지금 절경을 보고 절경을 그리려고 하고 있는가요, 아니면 시궁창을 보고 시궁창을 그리려고 하고 있는가요.

만약, 시궁창을 보고 있다면, 당장 시선을 돌려 절경을 바라봅시다.

## 44.
## 스티븐 윌리엄 호킹


친구들이나 선배들한테 듣는 쓸모없는 위로 있죠? 야, 나는 너보다 더 해. 너 힘든거 그거? 아무 것도 아냐. 나 때는 지금 너가 겪는 정도의 고난? 웃기는 수준이야. 아무것도 아니야~ 이런 어설픈 위로는 영양가도 없고 도움도 안 됩니다.

호킹 박사의 삶 정도는 되어야 동기부여도 되고 위로도 됩니다.

아무리 어려운 인생이라도 당신이 할 수 있고, 성공할 수 있는 것은 언제나 존재한다.

당신이 장애가 있더라도 잘할 수 있는 것에 집중해라. 장애 탓에 못 하는 것들이 있어도 너무 유감스럽게 생각 마라. 신체적 장애가 있더라도 정신적 장애가 있어서는 안 된다.

제가 참 좋아하는 과학자입니다. 영국의 저명한 천재 물리학자, 케임브리지 대학교루커스 수학 석좌 교수이며, 전공은 우주론과 천체물리학입니다. 뉴턴도 루커스 석좌 교수였죠,

소설로도 쓸 수 없을 인생의 주인공입니다. 업적으로 보자면 우주론과 양자 중력의 연구에 기여를 하였습니다. 블랙홀 관련 이론에 특히 큰 기여를 했습니다. 궁금하신 분들은 더 찾아보시면 좋겠습니다. 본인은 스스로를 장애 때문에 유명해진 것 뿐이라며 겸손하게 표현했지만, 현대 블랙홀 이론의 시조 중 한 사람이라는 점을 고려하면, 물리학자 중에서도 위대한 물리학자라 볼 수 있습니다.

스티븐 호킹을 생각하면 근위축성측색경화증, 루게릭병의 이미지가 먼저 떠오르죠. 그렇지만, 이런 그도 병이 오기 전 대학생 때는 조정 선수(콕스라고 불리는 일종의 지휘관 역할)로도 활약할 정도로 활동적이며 몸을 움직이는 것을 좋아했던 스포츠맨이었습니다.

대학교 시절 첫 번째 아내인 제인을 만납니다. 호킹이 루게릭 병을 판정을 받은 후에도 그를 떠나지 않고 결혼하여 오랜시간 호킹을 돌봅니다. 그렇지만, 여러 가지 이유 및 서로 바람을 피게 되어 이혼을 하게 됩니다. 호킹은 그 후 자신의 간호사였던 일레인과 결혼을 합니다. 문제는 일레인은 대리 뮌하우젠 증후군 <누군가 아픈 사람을 극진히 간호하는 모습을 보여 타인의 관심과 칭찬을 얻으려는 유형의 정신질환>을 갖고 있었습니다. 호킹을 폭행하고 학대하였죠. 호킹은 처음에 폭행의혹이 있었을 때는 부인을 했지만, 여러 증거들이 나오고 더 이상 변호하지 못하게 되고 이혼하게 됩니다.

정말 특별한 삶을 살았던 호킹박사도 인간관계에서 오는 문제가 컸습니다. 인간관계 문제는 누구나 갖고 있잖아요. 누구나 해결하고 싶은 문제이기도 하고요. 특별한 사람은 또 다를까? 싶은 생각도 하겠지만, 마찬가지구나 싶은 생각이 듭니다. 어차피 사라지지 않는 문제이니 포기하고, 체념을 하자는 것이 아니라, 불평불만에 사로잡히기 보다도 어떻게 나의 방식대로 대처하고 해결해나갈까를 고민하는 것이 좋겠다는 이야기입니다.

1962년 케임브리지 대학원에 입학하여 물리학을 전공했습니다. 중동여행 이후 갑작스럽게 루게릭병이 발병합니다. 의사에게 1~2년 밖에 살지 못할 것이라는 시한부 선고를 받게 되죠. 병이 진행됨에 따라 책 한 페이지 조차 잘 넘기지 못하게 됩니다. 손가락도 움직이기 어렵게 됩니다. 생각만해도 절망적입니다. 절망이라는 단어로 절망을 다 표현하지 못할 정도입니다. 이런 상황에도 그는 암산으로 수식을 푸는 등, 상상할 수 없는 노력을 통해 박사 학위를 땁니다. 호킹 박사죠.

제대로 상상이나 할 수 있겠습니까? 활동적인 스포츠맨이 갑작스럽게 육체적 능력을 상실하게 된 그 심정을 말입니다. 이것보다 큰 고난은 무엇이 있을까 잘 떠오르지도 않을 정도죠. 제 채널 구독자 분들은 운동을 하시는 분들이 많으실 텐데, 저와 비슷한 마음이리라 생각이 듭니다.

앞서 2년 시한부 선고를 받았다고 했었죠. 재밌는 사실은 호킹 박사는 그 후로 55년이나 더 살게 됩니다. 기적 중의 기적이죠. 삶에 대한 의지 외에는 달리 설명할 방법이 없어 보입니다. 실제로 호킹의 발언에 따르면, 루게릭병을 진단 받기 전의 삶은 지겨웠다고 합니다. 시한부 진단을 받은 뒤, 삶에 대한 열정이 샘솟아 더 적극적인 태도로 연구하고 살 수 있었다고 합니다.

이러한 호킹 박사의 삶 자체가 동기부여이자 위로입니다. 지금 우리가 고민하고 있는 문제들, 나쁜 상황들, 어떻습니까? 좀 극복할 수 있겠다는 생각이 들지 않나요? 우리는 충분히 할 수 있습니다. 열심히 해봅시다.

## 45.
## 타고난 것이 나는 안 된다는 사람들

타고난 성질 자체가 나는 안 된다, 내가 그럼 그렇지 뭐, 이런 망할 사고방식에 갇힌 분들께 좀 하고 싶은 이야기가 있어서 그렇습니다.

우리는 타고난 천재성, 유전적인 탁월함이 없어 실패하는 것이 아닙니다. 100이면 99, 아니 저는 100이면 100 단지 성실성이 모자라서 실패한다고 생각합니다. 설령 사실이 아니더라도 저는 이렇게 생각하며 삽니다.


화학적인 변화와 물리적인 변화의 차이를 알아봅시다.

전자는 변화로 인해 원자들이 재배열되거나 새로운 화학결합이 만들어지면 이로 인해 새로운 화합물이 생성됩니다. 화학 반응을 수반합니다. 반응의 전과 후의 물질은 화학적으로 서로 다릅니다.

예를 들어보면, 철이 부식될 때, 나무가 불탈 때, 빵을 구울 때, 김치가 익어갈 때 등이 있습니다.

이러한 화학적인 변화는 타고난 천재성이나 유전적 탁월함에 비유할 수 있겠죠.

물리적 변화는 화학반응이 수반되지 않기 때문에 새로운 반응물이 형성되지 않습니다. 고체, 액체, 기체 사이의 물질 상태를 변화시키는 것은 물질의 구성성분을 변화시키는 것이 아니기 때문에 물리적인 변화입니다. 물리적 변화는 물리적 특성의 변화만 포함합니다.

예를 들어보면, 얼음이 녹는 것, 물이 끓는 것, 종이를 찢는 것, 설탕이 녹는 것 등이 있습니다.

이러한 물리적인 변화는 성실성, 끈기에 비유할 수 있습니다.

전자는 화학반응을 수반하는 변화이고, 후자는 화학 반응없이 물리적 변화만 수반하는 변화죠.

왠 갑자기 새벽부터 이상한 소리냐 하겠지만,

타고난 성질 자체가 나는 안 된다, 내가 그럼 그렇지 뭐, 이런 망할 사고방식에 갇힌 분들, 화학적 변화 자체가 이루어질 수 있다는 사고가 없죠. 내가 물이면 끓거나 얼거나 이정도지 해봤자 나는 거기서 거기다. 이런 식의 사고죠.

성실과 끈기만으로도 타고난 성질이란 것이 바뀔 수 있습니다. 다시 말해 물리적 자극만으로도 화학적 변화가 일어날 수 있습니다. 성실하기만 하면 인간 자체도 바뀔 수 있습니다.

웨이트로만 비교해봅시다. 단지, 저 쇳덩이가 올라갔다가 내려가는 그 행위, 물리적인 행위만으로 내 몸의 구성성분이 지방에서 근육으로 바뀝니다. 지방과 근육의 원자배열이 같습니까? 화학결합이 같습니까? 지방에서 근육으로의 변화는 화학적 변화입니다. 공부도 마찬가지고 무엇이든 마찬가지입니다. 물리적 변화만으로 화학적 변화가 수반이 됩니다.

대부분의 실패는 내가 타고나지 못해서가 아니라, 내가 성실하지 못해서 일어나는 일입니다. 이 문장이 사실이 아니어도 상관없습니다. 사실이라고 생각하는 편이 오히려 우리를 성실하게 만드는데 도움이 됩니다.

아니야! 성실해도 실패할 수 있어! 라고 철저히 믿는다면, 성실하지 않아도 될 이유 하나가 생기는 거죠. 해도 안될 수도 있으니까, 난 안할래. 이게 됩니다.

반면, 성실하면 실패할 수 없어! 성공할 수 밖에 없어! 라고 철저히 믿는다면, 성실해야만 하는 이유가 생기는 거죠.

그러니까 성실하면 성공합니다.

## 46.

## 힘든 상황에 처했을 때, 왜 아무도 도와주지 않을까?

힘든 상황에 처했을 때, 왜 이렇게 힘들 때 아무도 도와주지 않는 것일까?하고 한탄할 필요가 없습니다. 왜냐하면 아무도 도와주지 않는 순간이 힘든 상황이기 때문입니다. 누군가 도와주는 상황은 더 이상 힘들지 않으니까요.

누구에게나 그 아무도 도와주지 않는 힘든 상황이 옵니다. 이 때 그에 대한 대처 및 반응은 갈립니다.

강자는 스스로 해쳐나갈 궁리를 합니다. 오히려 열정이 생깁니다.
약자는 아무도 도와주지 않는다고 한탄을 합니다. 절망이 생깁니다.

물리적으로 강하고 약하고를 말하는 것이 아닙니다. 정신적인 태도, 마음가짐의 문제를 말하는 것입니다. 똑같이 힘든 상황이라도 누구는 더 힘이 샘솟고, 누구는 더 처집니다. 이것은 우리가 선택할 수 있는 부분입니다.

## 47.
## 열정은 어디서 나올까요?

힘듦을 감수하고도 열정을 갖고 노력하는 이유는 뭘까요? 농구선수 코비가 새벽 4시에 일어나 훈련을 했다는 것은 유명한 일화죠. 그냥 새벽 4시에 일어나는 것 자체도 힘든데, 그 시간에 훈련까지 한다는 것은 감히 상상하기도 어렵죠. 한 번이 아니라 패턴이었죠. 수영선수 마이클 펠프스가 주 7일 훈련을 했다는 것도 유명한 일화죠. 그의 식사량을 보면 몸이 얼마나 많은 칼로리를 태우는데 적응이 되었는지 놀라울 따름입니다.

코비 브라이언트나 마이클 펠프스처럼 삶에 대한 아주 높은 수준의 열정을 가지려면 어떻게 해야 할까요?

먼저, 결핍에 대해 이야기해볼까 합니다. 아주 원초적인 결핍이죠. 배고픔을 예로 들어봅시다. 배가 고프면, 음식을 찾게 됩니다. 배가 고프면 고플수록, 음식을 찾아 나설 가능성이 더 높아집니다. 배고픔이 극에 달아 기아상태에 이르게 되는 상상은 접어 둡시다. 그러니까, 배고픔이라는 결핍이 강하면 강할수록 우리는 음식을 찾아 나서는 행동, 사냥이나 채집을 할 확률이 높아지고, 더 적극적으로 할 확률도 높아지겠죠.

배부른 사자는 누워 잘뿐이지, 사냥하진 않는 것 처럼요. 간단히 말해, 결핍이 행동을 만드는 겁니다. 배고픔이라는 결핍이 생기면, 이를 채우고 싶은 욕망이 생기고, 이 욕망이 사냥과 채집을 하게 만드는 것이죠.

이러한 원초적인 결핍으로 예를 들면, 참 이해하기가 쉽죠. 그렇지만, 현대사회는 아시다시피 매우 복잡합니다. 원시인류에게 돈을 준다면 좋아할까요? 전혀 그렇지 않겠죠. 그들에게는 나뭇잎과 유사한 정도의 쓸모없는 물건이나 다름이 없을 겁니다. 물건 하나하나에 매우 복잡한 관계가 엮여있어 결핍, 욕망, 욕심 등이 뒤섞여있습니다.

이야기가 잠시 샜습니다. 다시 코비 브라이언트로 돌아와 봅시다. 이상하죠? 결핍이라곤 찾아볼 수 없잖아요. 부와 명예, 인기 등 모든 것을 다 가진 그가 어째서 그렇게 강력한 동기를 갖고, 욕망을 갖고 고된 훈련에 임할 수 있었을까요?

그도 분명 나름의 결핍을 갖고 있지 않았을까요? 마이클 조던을 뛰어넘어야만 한다는 강박관념이나, 역사상 가장 위대한 농구선수로 남아야만 한다는 목표라던가요. 목표가 왜 결핍이 되는가 하면, 목표란 것은 현재 이루지 못한 것이거든요. 그러기에 결핍은 목표와 동일시 될 수 있는거죠.

코비브라이언트의 정말 모든 것이 충족된 상태였다면, 그토록 노력했을 리가 없겠죠. 여기서 힌트가 나옵니다. 이제는 더 이상 자연스럽게 동기부여받고 열정을 갖고 무언가에 임하는 경우는 거의 없다고 봐야합니다. 원초적인 결핍이 있어, 그냥 배고파서 사냥감을 찾으러 나가는 일은 현대에는 없다는 겁니다.

가상의 결핍을 만들어 공부를 해야 하는 거고요. 가상의 결핍을 만들어 훈련을 해야 하는 겁니다. 다시 말해, 배고파서 사냥을 나가는 건 당연하죠. 지금 이 자리에 배가 부르고, 시원한 쌍화더치, 녹용더치 함께 따라 마실 수 있고, 잠 오면 잘 곳이 있는 이 풍족한 상태에서 무언가를 열정적으로 한다는 게 어불성설인거죠. 그러니까 가상의 결핍이 필요한 겁니다. 그게 목표가 되어야 하고요.

목표는 이상적인 것만이 되어서는 안 됩니다. 목표의 다른 말은 결핍이어야만 합니다. 그 상태를 이루지 못한 현재 상황을 더 냉철하게 인식하고 진심으로 결핍으로 인지하는 순간, 동기가 생기고 욕망이 생기고 행동이 생깁니다.

무튼, 오늘은 우리가 기분 좋게 목표만을 세우고 기뻐할 일이 아니라, 오히려 그것을 결핍이라 인식하고 위기 상황으로 착각하여 행동할 필요가 있겠습니다. 마치 배가 고픈 위기 상황에 먹이를 찾아 떠나던 초기인류들처럼 말이죠.

## 48.
꿈, 목표를 가지라는 이야기 자주 듣죠.


돈을 좇지 말고, 좋아하는 일을 찾으라는 이야기도 자주 듣죠. 좋아하는 일을 찾으면 돈은 따라 온다고 말이죠.

이 이야기를 자세히 풀어보겠습니다.

목표는 어때야 할까요? 만약 목표가 많은 돈을 버는 것이라면 어떨까요? 많은 돈을 벌기 위해서는 무슨 일을 해야 할까요? 사실 무슨 일을 해도 많은 돈을 벌 수 있습니다.

의사가 되어도, 요리사가 되어도, 운동 선수가 되어도, 기업가가 되어도, 유튜버가 되어도, 프로게이머가 되어도, 디자이너가 되어도, 연예인이 되어도, 작가가 되어도, 한의사가 되어도 돈을 많이 벌 수 있습니다.

여기서 돈을 많이 버는 것이 목표가 되어서는 안 되는 이유가 드러납니다. 명확하게 어떤 행동과 실천을 해야 하는지 알려주지 않습니다. 공부했다가, 싫증나면 게임했다가, 요리했다가, 노래했다가, 운동했다가 왔다갔다 하게 됩니다. 그러기에 노력은 작심삼일, 수포로 돌아가기 쉽습니다.

목표는 명확하고 구체적이고 수치화할 수 있어야 한다는 이야기도 많이 듣죠? 돈을 10억 벌어야지 라는 목표는 어떨까요? 역시 마찬가지겠죠. 10억은 의사가 되어도, 요리사가 되어도, 운동 선수가 되어도 벌 수 있는 돈이니까요.

목표는 명확한 행동과 당장 눈 앞에서 발휘할 수 있는 실천이어야만 합니다. 의사가 되고 싶다는 목표가 있다면, 이를 위해서는 공부를 해야 함이 자명합니다. 공부를 잘 하기가 목표가 되어야 하고, 공부를 해야 합니다.

성공한 요리사가 되려면, 먼저 수준급의 요리실력을 갖추어야 함이 자명합니다. 요리를 잘 하기가 목표가 되어야 하고, 요리를 해야 합니다.

목표는 오늘 당장 할 수 있는 것들이어야 합니다. 공부하고, 운동하고, 요리하고, 열심히 진료보고 말이죠.

다시 말해, 우리의 목표는 오늘 당장 내 몸으로 실천할 무언가여야만 합니다.

좋아하는 일을 찾으라는 추상적인 이야기도 자주 듣죠. 제가 예전에도 말씀드린 적이 있습니다만, 좋아하는 일을 찾으라는 말은 진짜 내가 그 일을 했을 때, 행복하고 쾌감이 느껴져야 한다는 이야기가 아닙니다. 힘들고 고통스럽겠지만, 어렵겠지만, 그것을 극복할 수 있는가가 중요한 겁니다.

기분이 0인 상태에서 그 일을 했을 때 +10 +100이 되어야 하는 일을 찾는 게 아닙니다. 그런 건 일이 아니고 노는 겁니다. 일은 하면 −10 −100으로 갑니다. 힘드니까요. 그렇지만, 그 일에서 의미를 찾기 때문에 +10만큼 더해져 0으로 +100만큼 더 해져 +10 +100 으로 나아갈 수 있는 일을 찾으라는 겁니다.

아무리 보디빌딩을 좋아하는 보디빌더라도 운동은 힘들고 고통스럽고, 아무리 공부를 잘하는 우등생이라도 공부는 어렵고 힘듭니다.

할 때 즐거운 일을 찾는 게 아닙니다. 엄밀히 말하자면, 할 때 힘들더라도 극복할 수 있는 일을 찾아야 하는 겁니다.

## 49.
### 내 생각 밖을 생각할 수 있을까요?

내 생각 너머의 것들에 대해 나는 생각할 수 있을까요? 지각할 수 있을까요? 그렇지 않습니다. 내가 생각할 수 없는 것들에 대해서는 생각할 수가 없습니다. 그러므로 현실을 넘어선 우리의 상상도 결국에는 우리의 생각 안에 있는 것입니다.

예를 들어, 이름 모를 나라의 이름 모를 음식을 생각해보는 것은 상상이죠. 이 상상은 내 생각 밖의 무언가를 생각하는 것처럼 보이지만, 결국은 내 생각 안에서 만들어진 생각의 일부일 뿐입니다. 신의 존재도 마찬가지입니다. 나라는 존재의 바깥에 있는 신이라는 개념은 맞지만 그 개념조차 내 생각 안에 있는 겁니다. 결국 신이라는 개념도 내가 생각하는 신일뿐이지, 내 생각까지 통제하는 신이 있어서 생긴 신의 개념은 없는 겁니다. 아무리 내가 이 세상에 존재하지 않는 것을 상상하더라도, 눈에 볼 수도 없고, 믿음으로 이해할 수 있는 신을 떠올리더라도 그 모든 것들은 결국 내 생각들의 조합인 거죠.

나는 내가 생각할 수 있는 것 외의 것을 생각할 수 없습니다.

당연한 말이지만, 여기서 우리는 반성해볼 수 있습니다. 어릴 적 나는 항상 최선을 다했다는 말을 줄곧 해왔습니다. 최선을 다했다. 이 말은 사실 성공한 뒤에 하는 말이 아니죠. 실패한 뒤에 하는 말입니다. 최소 실패한 뒤에 더 많이 쓰이는 말이라고 저는 생각합니다.

실패했지만, 최선을 다했다. 이렇게 많이 쓰이죠. 성공했고, 나는 최선을 다했다. 최선을 다해서 성공했다. 이 말은 잘 쓰이지 않죠. 오히려 운이 좋아서 성공했다. 이 말이 더 많이 쓰입니다. 이유가 뭘까요? 실패한 사람들은 자신의 최선을 알고 있고, 성공한 사람들은 자신의 최선은 잘 모르지만, 운이 좋았다고 대신 생각하고 있습니다.

요즘 저는 최선을 다했다는 말 대신, 최선을 다하려고 한다고 말합니다. 왜냐하면 최선은 어디 있는지 모르기 때문입니다. 어디까지인지도 모르기 때문이죠. 내가 생각하는 최선은 최선이 아닐 것이라고 가정하고 말하는 것입니다. 실제로 아닙니다. 내가 생각하는 최선은 늘 최선이 아니었습니다.

한 예로, 나는 오래달리기 시험을 준비했었던 때가 있는데, 연습 때는 내가 하는 그것이 최선인 줄 알았죠. 정말 열심히 했습니다. 피로골절까지 왔을 정도로 열심히 했죠. 나는 연습할 당시에 최선을 다해 연습하는 줄로만 알았습니다. 시험 당일이 되었을 때, 나는 연습 때의 최고 기록보다 더 나은 기록을 세우며 시험을 마무리를 했습니다. 그 때, 선생님이 하셨던 말씀이 '아 이렇게만 연습 했었으면 우린 최고가 되었을 텐데...'라고 말입니다. 저도 생각했습니다. 아 지금 생각해보니 나는 사실 더 잘할 수 있었구나...하고 말이죠. 나의 최선은 최선이 아니었구나...

내가 최선을 다했다고 말 하더라도, 그 최선은 내 생각 안의 최선인 것입니다. 진정한 최선은 내 생각 밖에 있을 수도 있습니다. 아니, 밖에 있습니다. 내가 생각한 것 보다 나는 더한 선을 다할 수 있다는 말입니다. 그렇다면, 내 생각의 범주를 넘은 최선이 존재하는 것이겠죠.

최선을 다했다는 말은 함부로 써서는 안됩니다. 우리는 언제까지나 최선을 다하려고 노력해야할 뿐입니다.

저는 오늘도 최선을 다해보려고 합니다.

## 50.

힘 빼고! 힘 빼고! 힘 빼고!

큰 힘이 필요할 때 듣던 말입니다. 핸드볼 멀리 던지기 시험을 준비하면서
들었던 이야기인데요. 있는 힘을 다 쥐어짜도 모자랄 판에 힘을 빼고
던지라니요. 참 이해가 가지 않았습니다. 지금은 머리로는 이해는 갑니다만,
몸은 아직 이해못한 듯 한 상태고요.

핸드볼 멀리 던지기 뿐만 아니라, 수영도 그렇고, 골프도 그렇고요. 야구도
그렇죠. 심지어 파워리프팅, 웨이트트레이닝도 마찬가지입니다. 힘을 빼야 더
멀리 던질 수 있고, 더 빠르게 나아갈 수 있고, 더 강하게 칠 수 있죠.

여기서 힘을 빼라는 이야기는 불필요한 힘을 빼고, 목표를 위해, 목적을 위해
균형 있게 힘을 배분하라는 이야기죠. 숟가락으로 밥을 떠먹을 때, 온 힘을
다해 떠먹을 필요가 없듯이, 키보드 타자를 칠 때, 온 힘을 다해 두드릴 필요가
없듯이 말입니다.

뭐 어쩌자는 이야기인지 싶으시겠지만, 저는 이 사실로 위로를 전하고
싶습니다.

근육의 힘이 아닌, 마음의 힘이 빠지는 순간들은 언제일까요? 실패했을 때,
불합격 통지를 받았을 때, 이별했을 때, 고백이 거절당했을 때, 정도겠지요. 온
몸에 힘이 빠집니다. 왜 힘이 빠질까요?

너무 한 쪽으로만, 온 힘이 과도하게 집중되었었다는 뜻이기도 하죠. 한 번
힘을 쭉 빼고, 다시 해보라는 인생의 교훈입니다. 저는 그렇게 느껴지더라고요.
크게 심호흡 한 번 하고요. 다시 힘을 빼고 핸드볼을 멀리 던지는 연습을
하듯이, 다시 힘을 빼고, 일이든, 공부든, 연애든, 운동이든 해보는 거죠.

무슨 일이든 너무 힘을 세게 주면 잘 안되니까요.
실패한 김에 힘 빼고, 균형 다시 잡고, 부드럽게 잘 해봅시다.

## 51.
### 무엇이든 나로 인한 것이라는 생각이 기반에 있어야만 한다.

잘된 일이든, 못된 일이든, 성공한 일이든, 실패한 일이든 결국 나로 인한 것이다는 생각이 뿌리깊게 박혀있어야만 합니다. 보통은 잘 된 일이라면, 내 덕이 아니라 환경의 덕으로 돌리는 겸손의 미덕을 갖추라곤 하지만, 그것은 근본된 일이 아닙니다.

실제로 내가 내 삶을 통제하고 있지 못하더라도 상관없습니다. 그것의 사실여부보다도 중요한 것이 내 삶의 전반을 내가 통제하고 있다는 확신을 갖고 있음에서 오는 효과이기 때문입니다. 만약, 일이 잘 되고 그것이 내 노력과 덕으로 인해 이루어진 것이라는 생각이 있으면, 자존감이 높아지며, 앞으로 그러한 일들을 더 많이 할 이유가 더 생깁니다.

내가 노력해서 성공을 했고, 그로 인해 자존감도 높아지고, 스스로 더 나은 사람이 된 듯한 기분이 든다면, 그런 일을 또 다시 하려고 하기 마련이죠. 공부를 잘 하는 친구들은 점점 더 공부를 잘하고, 운동을 잘 하는 친구들은 점점 더 운동을 잘 하는 이유기도 합니다.

거꾸로, 만약 내가 실패를 했을 때, 이것이 온전히 나의 책임이 아니어도, 외부적 요인이 실질적으로 작용해서 실패를 했더라도, 상관없습니다. 온전히 나의 책임으로 생각해야만 합니다. 그렇다면 나는 두 가지를 얻게 됩니다. 하나는 미래를 봅니다. 앞으로 내가 더 잘해야겠다는 마음가짐이 생깁니다. 또 다른 하나는 과거를 돌아봅니다. 앞전에 내가 무엇을 잘못 했는가 반성하게 됩니다. 미래를 향한 다짐과 과거를 돌아보며 하는 반성은 나 자신을 더 나은 사람으로 만들기 마련입니다.

만약, 성공도 실패도 내 탓이 아니라 외부요인의 탓으로 돌린다면 어떻게 될까요? 그렇게 하면 할수록 자기 자신이 작아집니다. 자존감이 낮아집니다. 무기력해지기 까지 합니다. 말 그대로, 내가 열심히 해도 성공하지 못하고 실패를 하고, 내가 열심히 하지 않아도 성공을 할 수 있다면, 주체적으로 살 이유가 없기 때문이죠. 무언가를 더 열심히 하게 될 이유가 생기지 않습니다.

내가 노력하면 성공할 수 있고, 실수를 하면 실패할 수 있다면, 앞으로 더 열심히 노력할 것이고, 뒤돌아보며 잘못을 반성할 것입니다.

그러니까 우리는 실제로 그렇든 말든 상관없이 삶에서 일어나는 일들이 성공이든 실패든 나로 말미암았다고 진실로 그렇게 생각할 필요가 있습니다.

## 52.

아프지 않은 것이 더 위험하다.


화상에 대해 잠깐 이야기하겠습니다. 화상은 불이나 뜨거운 물체 및 화학물질 등에 의해 피부 및 조직이 손상된 것을 뜻합니다. 일반적으로 중상에 따라 1도에서 4도로 구분을 합니다. 1도 화상은 표피층만 손상된 것으로 통증이 유발됩니다. 2도 화상은 진피층까지 손상된 것으로 더 심한 통증이 유발됩니다. 사실 통증이 유발되는 1도, 2도 화상은 예후가 아주 좋은 편에 속합니다. 반면, 3도 화상은 피하조직까지 손상이 된 상태죠. 신경 손상으로 인한 심한 부종에 비해 통증은 오히려 적습니다. 오히려 손상이 심하면 통증이 느껴지지 않죠. 수술치료가 필요하고, 피부 이식도 추가로 필요한 상태입니다.

4도 화상은 피부 전층과 근육, 신경 및 뼈 조직까지 손상된 상태입니다.

여기서 재밌는 사실이 있죠. 화상의 정도가 오히려 심하여 피부신경까지 손상되면 통증이 느껴지지 않는다는 겁니다. 훨씬 더 나쁜 상황임에도 통증이 느껴지지 않는 거죠. 거꾸로 생각하면, 통증이 느껴지던 1도 2도 화상이 훨씬 더 안전하고 좋은 상태였다는 겁니다.

이를 보면 아프지 않은 것이 더 위험하기도 합니다. 화상을 통한 삶에 한 비유이지만, 우리는 통증에 때로는 감사할 줄 알아야 하는 겁니다. 통증을 느낀다는 것 자체가 회복 가능성을 내포하고 있으며, 더 나은 상태로 나아갈 수 있다는 희망이기도 하니까요.

요즘은 아프거나 힘든 것을 잘못되었다고 인식하죠. 몸과 마음을 다치지 않는 것이 중요하고, 아파하고 괴로워하는 것은 잘못된 일이라고 생각하죠. 여러 매체만 보아도, 육체적이든 정신적이든 고통을 느끼는 사람들을 안타깝게만 바라보죠.

물론 자신이든 타인이든 대부분의 고통은 가슴 아픈 일이 맞습니다. 그렇지만, 그렇다고 해서 고통이 나쁘고 제거되어야 할 무언가라고 생각해서는 안 됩니다. 반드시 존재해야 하는 것이고 너무나도 중요한 것이라는 인식이 있어야만 합니다.

위대한 스포츠 스타들의 공통점은 고통스러운 훈련의 가치를 몸소 실천한다는 겁니다. 물론, 한의원에 내원한 환자분들이 호소하는 고통과는 질적으로 차이가 있습니다. 그들의 고통은 치유 받고 돌봄 받아야 마땅합니다. 지금 제가 이야기 하는 고통은 그 고통이 아닙니다.

아프지 않은 것이 더 위험합니다. 지금 당신의 고통은 무엇인가요? 그 고통은 어느 방향으로 나아가라고 알려주고 있나요?

## 53.

## 쓴 맛


일반적으로 쓴 맛이 나는 식물은 곤충과 포유류가 회피합니다. 가설 중 하나가 동물이 쓴 맛과 독성을 연관시키는 법을 배웠다는 것이죠. 일리가 있습니다. 실제로 많은 쓴 화합물들이 독성이 있으니까요.

그런데 bitter reflex (쓴맛 반사) 라고 들어보셨나요?

생소한 개념입니다. 쓴 것을 먹으면 가스트린이라는 호르몬이 분비되어 소화 기능을 강화시키고 타액, 위산, 펩신, 내인성 인자의 분비를 촉진 합니다. 모두 소화, 흡수에 도움이 되는 물질들입니다. 또 담즙의 흐름을 촉진하여 식이성 지방의 소화를 증진시키고, 간에서 노폐물이 축적되는 것을 막아줍니다. 쓴맛을 적은 양으로 주기적으로 섭취하는 것은 위, 담, 간, 췌장 등 전체 소화체계의 강화에 도움이 됩니다.

왜 쓴 것을 먹으면 소화체계의 강화에 도움이 될까요? 쓴 것과 독성을 연관시키는 법을 배운 인간의 입장에서 보면 이해하기 쉽습니다. 독을 섭취한 것일 수 있으니, 최대한 강력하게 소화시켜버려야 하는 상황인거죠. 그러다보니 소화체계는 강화가 될 수 밖에 없죠. 재밌죠? 독이라는 아주 해로운 요소에 대한 대비를 위해 소화체계가 강화가 된다는 사실입니다. 인생에 비유해도 좋겠죠. 아주 해롭고 위험한 고난들이 우리를 강하게 만든다는 사실이 여지없이 확인이 됩니다.

'잔잔한 바다에서는 훌륭한 뱃사공이 만들어지지 않는다.'
'거친 파도가 치는 위험한 바다에서 훌륭한 뱃사공이 만들어진다.'

쓴맛은 건강에 있어 아주 중요합니다. "입에 쓴 약이 몸에 좋다." 는 식으로 설명 다 빼고, 옛말이 그러니 그러하다! 는 이야기를 하려는 것이냐! 고 지적할 수 있겠지만, 이 옛말이 사실입니다. 쓴맛을 지닌 대부분의 약재들은 항곰팡이, 항균, 항원충, 항종양 작용을 하는 것으로 밝혀졌죠. 식물들의 쓴맛을 내는 화합물들은 미생물, 산화손상, 포식자에 대한 자기방어 메커니즘의 일부입니다.

간단하게 말해서, 식물들이 자신에게 해로운 것들로부터 스스로를 지키기 위해 만든 이 화합물들이 인간에게도 역시 미생물의 성장, 산화, 염증을 억제함으로써 도움이 될 수 있다는 이야기입니다.

더 간단하게 말해서, 식물들이 스스로를 보호하기 위해 만든 쓴 맛을 인간이 활용해서 인간 스스로를 보호하기에 사용할 수 있다는 이야기입니다.

여기서 재미가 있는 것은 이 작용은 혀에 있는 미뢰에 의해 쓴맛을 실제로 직접 맛봐야지만 유발됩니다. 유럽 허브 의학 저널에서 지적한 바와 같이 캡슐 형태로 쓴맛을 복용하는 것은 사실상 쓸모가 없는 일일 수 있습니다. 이 쓴맛을 뇌가 직접 지각을 해야 하는 것이죠. 미뢰의 미세포가 대뇌로 전달을 해야만 일어나는 효과인 거죠.
우리도 그렇습니다. 직접 실패해보아야 하고, 고난을 겪어야만 성공할 수 있고, 강해질 수 있습니다.

어찌 보면 우리가 쓴맛은 직접 느끼지 않고, 알약 같은 편법으로 좋은 효과를 바라고 있는 것은 아닌지.
우리가 실패를 직접 경험하지 않고, 쉽고 실패 없는 현실에는 없는 기적 같은 편법으로 성공을 바라고 있는 것은 아닌지.

한번 고민해 봐야할 일입니다.

지금 이야기 하고 있는 bitter reflex 쓴맛 반사가 일어나지 않을 수 있으니까요.

## 54.

조립한 장난감이 부서졌다.


조립한 장난감이 부서졌다고 아기가 울고 있습니다. 아주 서럽게 대성통곡하며 울고 있습니다. 꽤 시간이 흐른 뒤에도 부서진 장난감을 보며 눈물을 흘립니다. 우느라 아무 것도 못하고 있습니다. 어떤 생각이 듭니까? 아이, 참 그건 그렇게 중요한 일이 아니야. 그러니까 장난감이 부서지더라도 심각한 상황은 아니란 말이지. 그렇게 신경 쓰고 마음 쓰지 않아도 돼. 참 귀엽다. 이런 생각이 들겠죠?

내신 시험 한 과목을 망쳤다고 울고 있는 고등학생이 있습니다. 아주 서럽게 대성통곡하며 울고 있습니다. 꽤 시간이 흐른 뒤에도 시험 점수를 보며 눈물을 흘립니다. 우느라 아무 것도 못하고 있습니다. 어떤 생각이 듭니까? 아이, 참 그건 그렇게 중요한 일이 아니야. 그러니까 수학 시험 한 번 못 친다고 해도 심각한 상황은 아니란 말이지. 그렇게 신경 쓰고 마음 쓰지 않아도 된다. 갑갑하다. 이런 생각이 들겠죠?

사업이 실패하고, 취업 시험에 실패했다고 울고 있는 한 성인, 어른이 있습니다. 아주 서럽게 대성통곡하는 것도 마찬가지이고, 자신의 실패를 곱씹으며 계속 아무 것도 못한 채 절망하고 있습니다. 어떤 생각이 듭니까?

세 케이스의 공통점은 무엇인가요? 중요(귀중하고 요긴함.)한 것이 아닌 무언가에 집착하고 있는 모습입니다. 그 무언가는 바로 실패입니다. 실패를 너무 중요시 여긴 탓입니다. 엄밀히 말하자면 실패 자체는 중요한 것이 아닙니다. 실패에서 무언가를 배우고 성공으로 나아갈 때 도움이 될 배움을 얻는 것이 중요합니다. 달리 말해 실패는 전혀 중요하지 않고, 성공이 너무 중요하기 때문에 실패가 쓸모가 있는 겁니다.

이 점을 절대 잊어서는 안 됩니다. 실패는 중요하지 않습니다. 성공이 중요합니다. 중요하지 않은 것에 상심할 필요 없습니다. 좀 더 극단적으로 비교해보겠습니다. 실패에 상심하며, 앞으로 나아가지 못하고 있는 것은, 개똥을 잃어버린 것에 상심하고 절망하는 것과 다를 바 없습니다.

그러니까 실패가 계속 생각나고, 상실감이 들고, 자신감이 사라져간다면, 따라해 보십시오.

'아, 실패는 별로 중요하지 않아. 개똥도 별로 중요하지 않지. 내가 개똥같은 것 때문에 자신감을 잃을 필요는 없지. 중요한 것은 성공이고 성취야. 그것을 위해 노력하는 것이 지금 내가 할 수 있는 최선임을 나는 알고 있어. 알고 있고 또 실천할 거야.'

## 55.

로맹 가리라는 작가를 아시나요?


간단하게 요약하자면, 처음에 로맹 가리라는 본명으로 작품을 발표하고 최고의 문학상을 수상합니다. 프랑스 문학계에 스타가 됩니다. 그러나 그 뒤 발표하는 작품들마다 지나친 혹평에 시달리게 됩니다. 그리하여 에밀 아자르라는 가명으로 작품을 발표하게 되는데 이 작품이 또 최고의 문학상을 수상하게 되는 겁니다. 드디어 프랑스 문학계에 새로운 혜성이 등장했다고요.

어떤 생각이 드나요? 평론가나 비평가들의 냉정하고 절대적인 것만 같은 평가가 실제론 그렇지 않다는 거죠. 언제는 상을 줬다가, 언제는 혹평을 쏟아내다가, 이름을 바꾸니 다시 찬사를 하다니요. 물론 작품의 퀄리티에 기복이 있었을 수 있겠지만, 정말 그들이 작품을 관통하여 분석을 할 수 있는 능력이 있다면, 두 작품 모두 동일 인물이 썼다는 것을 알아차렸겠죠.

우리의 삶에도 이런 평론가나 비평가들이 많습니다. 우리의 삶의 방향이나 그날의 감정이나 가치관을 자꾸 흔드는 역할을 하죠. 무엇이든 하려하면 안 된다고 초를 치거나, 내가 생각한 방향대로 하면 안 되고, 자신의 충고를 들어야 한다고 훈수를 두거나 하는 유형의 인물들이죠. 실제론 잘 알지도 못하면서 말이죠.

그러니까 우리의 인생의 주변에 있는 평론가 같은 이들에 너무 휘둘릴 필요 없습니다. 그들은 무엇이 제 작품이고 무엇이 제 작품이 아닌 줄도 잘 모릅니다. 우리는 좀 더 우리 자신에게 집중할 필요가 있는 거죠.

로맹 가리는 여러 복합적인 이유가 있겠지만, 권총으로 자살함으로써 생을 마무리합니다. 이 자살로 생을 마감하기 얼마 전에 라디오 인터뷰에서 이런 말을 남겼습니다.

'나는 삶을 살아가기보다 내 삶에 의해 살아졌다는 생각이 든다. 내 삶에 의해 살아졌다는 생각이 든다.

내가 삶을 선택 했다기 보다 삶의 대상이 됐다는 느낌이다. '

참 멋진 말입니다. 이 로맹 가리의 말에 따르면, 저도 나름대로 열심히 살고자 노력하고 애쓴다 생각을 했지만, 나와 나의 삶을 구분해 본다면, 그러니까 내가 있고 내 인생은 따로 있어서 서로 상호작용을 한다는 생각이죠.

내 삶이 나를 열심히 살게 만든 것일 수 있습니다. 뒤에서 채찍질을 하며 열심히 달려라! 하고 외치는 거죠. 저는 그 채찍을 맞으며, 맞아! 열심히 살아야지! 이렇게요.

또 그 반대일 수도 있죠. 저는 너무 열심히 살고 싶은데, 나아가고 싶은데, 제 삶이 제 바짓가랑이를 붙잡고 있는 거죠. '내 인생아 니가 어떻든 간에 나는 앞으로 나아가련다!' 하고 나아갈 수도 있죠.

로맹 가리의 삶을 들여다 보면, 대단하기도 하고 안타깝기도 하고 그렇습니다. 그의 삶을 조금 더 긍정적으로 받아들여, 우리는

'나는 삶을 살아가기보다 내 삶에 의해 살아졌다는 생각이 든다. 내 삶에 의해 살아졌다는 생각이 든다.

내가 삶을 선택 했다기 보다 삶의 대상이 됐다는 느낌이다. '

의 로맹가리의 말에서

'나는 내 삶이 내 바짓가랑이를 붙잡고 늘어지든 말든 개의치 않고 앞으로
나아갔다. 나는 내 삶을 선택했고, 끝까지 살아냈다.'

이렇게 바꾸어 봅시다.

그의 삶에 대해 부연설명을 하겠습니다.

1914년 출생했습니다. 이래저래 살다가, 1933년에 법학을 공부하고
변호사가 되기 위해 연수를 받았지만, 제 2차 세계 대전이 발발하여 프랑스
공군에 입대합니다. 로렌 비행 중대 대위로 참전하였고, 공을 인정받아 종전 후
레지옹 도뇌르 훈장(프랑스의 훈장 중 최고 훈장. 내외국인을 막론하고
프랑스의 정치경제사회문화 등 각계 전반에 걸쳐 공로가 인정되는 인물에게
수여가 됩니다)을 받습니다.

1941년부터 1961년까지 외교관으로 일을 하면서 여러 소설을
발표하였습니다. 비평가상도 수상하였고요. 1956년에 발표한 하늘의 뿌리
라는 작품으로 콩쿠르상을 수상하게 됩니다. 세계에서 가장 권위있는 문학상
중 하나이며, 프랑스 문학상 중에선 최고로 꼽힌다고 합니다. 이후 프랑스
문학계의 인기스타가 되지만, 이후 발표하는 작품들마다 평론가들의 신랄한
비판을 받게 됩니다.

1975년에는 에밀 아자르라는 가명으로 발표한 자기 앞의 생이라는 작품으로

콩쿠르 상을 수상하게 됩니다. 이 때 평론가들은 프랑스 문학계의 혜성이 나타났다며 극찬을 합니다. 다만, 콩쿠르상은 같은 작가가 두 번 받을 수 없는 것이 원칙이나, 에밀 아자르가 로맹 가리라는 사실을 아는 사람이 없었기 때문에 수상이 가능하게 됩니다. 로맹 가리는 자기 대신 오촌 조카를 내세워 수상을 거부하는 의사를 표현했으나 콩쿠르 아카데미에서 수상자를 에밀 아자르로 발표해버립니다.

이후 로맹 가리는 자신의 이름으로 여인의 빛, 영혼의 짐 이라는 작품을 발표했으나 에밀 아자르를 표절하려 든다는 혹평, 비난을 받게 됩니다. 참 재밌습니다.
그 후 1979년 자신의 아내인 진 시버그가 실종되고 10일만에 그녀의 차 뒷자석에서 사체로 발견됩니다. 시간이 흐르고 40세 이혼녀와 사랑에 빠지기도 합니다. 그러고 1년 뒤인 1980년 12월 2일에 자신의 입 안에 권총을 쏘고 생을 마감합니다.

그의 유서의 마지막 문장은 이렇습니다.

" 나는 마침내 완전히 나를 표현했다."

저는 이 문장이 라디오에서 인터뷰했던 내용과 일맥상통한다고 생각합니다. 삶에 의해 살아진다는 그의 말이죠. 자기가 삶을 선택한 것이 아니죠. 삶에 의해 자살까지 하게 된거죠. 삶을 살아내지 못하는 것의 정점인 자살을 택했고, 그를 통해 삶을 선택하지 못하고 삶의 대상이 된 자기 자신을 완전히 표현했다는 뜻이 아닐까 생각해봅니다.

혹, 우리도 약한 생각을 하거나, 해서는 안 되는 생각을 하고 있다면, 아마 삶의 대상이 되어있는 것일지 모릅니다. 우리는 언제나, 삶을 선택해야지, 삶의 대상이 되어서는 안 되는 겁니다.

삶을 선택해봅시다

# 56.
## 열등감


열등감은 불쾌의 감정 중 하나입니다. 먼저, 반드시 구분해야만 하는 것이 있는데, 불쾌의 감정은 나쁜 감정이 아닙니다. 이를 확실히 인지해야 우리는 더 발전할 수 있습니다.

열등감에 대해 좀 더 깊이 파악하자면, 크게 두 가지로 나뉩니다. 외부적인 요소와의 비교를 통해 발생하는 열등감과 내부적인 목표와의 비교를 통해 발생하는 열등감이죠. 전자는 내 주변 사람들, 혹은 sns상 접할 수 있는 사람들과 자신을 비교하면서 생기는 감정입니다. 후자는 내가 세운 목표, 이상과 현실의 나 자신과의 비교를 통해 생기는 감정입니다.

둘 다 더 나은 나 자신이 되고 싶은 욕망을 유발합니다. 그 자체로서 동기부여가 되는 것이죠. 이를 올바른 방향으로 잘 활용한다면 우리는 불쾌의 감정을 통해서도 스스로가 더 나은 사람이 될 수 있는 것입니다.

열등감을 파괴적인 방향으로 활용해서는 안 됩니다. 예를 들어, '나는 공부를 못해' 라는 말을 하는 대신 '나는 공부를 열심히 할 거야' 라는 말을 사용하는 것입니다. 큰 맥락에서 보면 같은 말이죠.

목표도 비슷합니다. '나는 전교 1등이 되겠다.' 는 목표가 있다면 지금의 나와 비교가 되며 열등감이 생길 수 있습니다. 그럴 때도, '아, 왜 나는 전교 1등이 되지 못할까.' 하는 것이 아니라, '공부를 더 열심히 해서 1등이 되어야겠다.' 며 마음을 다잡아야 하는 것이죠.

열등감을 느낄 때, 아, 나는 왜 이럴까가 아니라, 아, 나는 더 나은 사람이 되어야 겠구나! 가 되어야 합니다.

열등감은 목표와 아주 밀접합니다. 내가 어느 분야에서 열등감을 느끼는지를 잘 파악하면 나의 목표를 찾을 수 있습니다.

실제로는 목표는 명확하지 않아도 됩니다. 성공한 사람들이 정말 뚜렷한 목표가 있었는지에 대한 연구가 있었는데, 결과에 따르면 약 95%정도의 성공한 사람들은 뚜렷한 목표가 없었다고 합니다. 반면, 우리가 아는 대부분의 위인들은 불우한 환경을 극복하고 성공을 이루어낸 경우가 많죠. 위인전만 읽어봐도 시련 없이 성공한 인물은 찾아보기 힘들 정도입니다. 이 것이 뜻하는 바가 무엇인가요? 바로 열등감과 결핍이 발전의 원동력이라는 뜻입니다. 열등감을 느끼고 이를 잘 활용한다면 우리는 더 나은 사람이 될 수 있습니다.

그렇다면, 열등감만 있으면 발전할 수 있는가요? 그렇진 않습니다. 앞서 말했다시피, 열등감을 통한 동기부여의 방향이 중요합니다. 더 나은 내가 되어야 하고, 더 다른 내가 되게 해야 합니다.

열등감의 맥락이 중요합니다. 학창시절 공부를 잘하는 친구들 사이에서 열등감을 느끼면, 이는 공부를 잘하고 싶은 열망을 만들고 동기부여를 일으킵니다. 반면, 운동을 잘하는 친구들 사이에서 열등감을 느끼면, 이는 운동을 잘하고 싶은 열망을 만들고 동기부여를 일으킵니다. 이것이 바로 나의 주변사람을 어떤 사람들로 이루는 가가 중요한 이유기도 하죠.

이제 가장 친한 친구 5명의 평균이 바로 나라는 이야기를 이해할 수 있을 것입니다.

# 57.

## 구독자 여러분 잘 지내십니까?

'잘 지내?'

잘 지낸다는 건 무슨 뜻일까요? 어떤 상태가 잘 지내는 상태일까요?

즐겁고 유쾌한 감정의 지속인 상태가 잘 지내는 상태일까요? 그렇진 않을 것입니다. 조증을 좀 살펴보면 쉽게 납득이 갑니다.

중세는 유쾌한 감정의 과잉, 자신감, 자기도취, 자기확신, 자기만족의 경향이 있고요. 또 한편으로는 허세, 낭비벽 등이 나타납니다. 스스로에 대한 확신이 강해지기 때문에, 본인의 의사와 다르게 상황이 진행되는 경우에서 참을성이 없으며, 원만한 사회생활이 불가능하며, 자신의 뜻과 맞지 않는 경우에는 분노·욕설·노골적인 적개심 등으로 반응하기도 합니다.

유쾌한 감정의 지속, 과잉 상태의 이면입니다. 한 가지 감정의 지속은 그 부작용 및 폐해가 엄청납니다. 그렇기에 특정 감정 상태에 머무르는 것 예로 우리가 흔히 좋다고 생각하는 유쾌한 감정, 즐거운 감정, 쾌락 등의 상태에 머물러 있는 것이 결코 잘 지내는 상황이 아닌 셈이죠.

그렇다면 해로운 것들이 아예없는 상황어 잘 지내는 상태일까요? 또 그렇진 않을 것입니다. 무균실을 떠올려봅시다.

무균실에서 자란 아이는 미생물, 세균 등에 취약할 수 밖에 없겠죠. 완벽하게 청정한 곳에서 자랐을수록 아주 작은 티끌에도 크게 반응할 수 있는 겁니다. 흰색은 아주 적은 양이라도 다른 색의 물감의 색이 묻으면 크게 바뀌는 것처럼요. 그러니까 해로운 것들이 아예 없는 상황은 당장은 편할 수 있겠지만,

장기적인 관점에서 본다면, 우리를 약하게 만들 수 있습니다.

결론은 이렇습니다. 다양해야만 합니다. 다채로운 감정과 경험을 느끼며 살아가고 있어야 잘 산다고 할 수 있습니다. 마냥 행복해도 문제가 있고, 마냥 힘들어도 문제가 있습니다. 힘든 일도 있고 행복한 일도 있고, 그저그런 일도 있고, 심심한 일도 있다면 우리는 잘 살고 있는 겁니다.

조금 더 추가해서 이야기를 하자면, 인간관계도 마찬가지입니다. 우리는 인간관계가 좋아야만 한다고 생각하기 마련입니다. 그렇지 않습니다. 정말 좋은 사이어야 좋은 인간관계도 있고, 오히려 사이가 나빠야 좋은 인간관계도 있죠. 적당히 서먹서먹한 인간관계도 필요하고요. 사무적인 인간관계도 필요합니다. 다양성이 확보가 되어야 합니다.

좋은 것도, 나쁜 것도, 그저그런 것도, 기쁜 일도, 나쁜 일도, 소소한 일도 이렇게 우리의 일상에 다양한 것들과 감정들과 인간관계가 존재한다면 우리는 잘 살고 있는 겁니다.

구독자 여러분 잘 지내십니까?

## 58.
## 자전거를 타는 법


신혼여행을 몰디브로 갔었는데, 그 때 자전거를 타며 섬 구석구석을 와이프와 돌아다녔던 것이 참 기억에 남습니다. 잊지 못할 행복한 순간으로 제게는 남아 있는데요. 와이프가 저보다 자전거를 더 잘 타더라고요.

무튼, 이제 이야기 하도록 하겠습니다. 자전거를 잘 타려면 어떻게 해야 할까요? 가장 필요한 것이 뭘까요? 자전거 타는 법을 인터넷에 검색해봤습니다.

1. 평평한 곳에서 시작합니다.
2. 자전거 안장을 조절합니다.
3. 브레이크를 테스트 해봅니다.
4. 한쪽 발을 땅에 댑니다.
5. 미끄러져 나가면서 시작합니다.
6. 시선은 정면을 바라봅니다.
7. 페달을 밟아 봅니다.
8. 자전거에서 내려옵니다.

이미 탈 줄 아는 사람 입장에서는 어떻게 보이나요? 아이, 뭘 저렇게 까지 할 필요 없고, 일단 타보면 된다! 라는 말이 절로 나오지 않나요? 타보면 탈 수 있다. 해보면 된다고요.

사회적으로 성공한 사람들이 자주 하는 말입니다. 그냥 해보라고 말 합니다. 도전해보라고요. 이러한 강연을 들으면 처음에는 성공담을 들으며 끄덕끄덕하다가도 결론을 들으면 갸우뚱 합니다. 그냥 해보라는 것이 결론이죠. 이해가 잘 가지 않죠?

자전거 타는 법에 비유하면 이해가 쉽습니다. 자전거를 못타는 사람에게 자전거 타는 법을 1번부터 8번까지 읽어줄 때는 끄덕끄덕 합니다. 그러다가 진짜 타봐야 탈 수 있다는 이야기로 결론을 마무리하면 의아한 겁니다. 그런데 정말 자전거는 타봐야 탈 수 있잖습니까?

사회적 성공을 이룬 사람들의 입장도 마찬가지입니다. 해봐야 아는 거라고요. 자전거처럼 타다가 넘어져도 보고 무릎도 깨보고 팔꿈치도 깨보고 해야 탈 수 있게 된다고요. 다칠 것을 감수하고 자전거에 올라타야 하고요. 실패할 것을 감수하고 사업을 일을 해봐야 한다는 이야기죠. 가장 필요한 덕목이 용기입니다.

## 59.
### 아기들이 우는 이유

아기들이 우는 이유는 참 다양합니다. 소변이 마려워도 울고요. 잠이 와도 웁니다. 이게 몰라서 그렇답니다. 평상시 상태와는 조금 다른 상태죠. 대변이 마려우면 볼일을 보면 되는데, 배도 으슬으슬 아프고 어찌해야하는 지를 몰라서 운다고 합니다. 잠이 오면, 자면 되는데, 나긋나긋하고 힘이 빠지는 느낌이 불편해서, 어찌해야하는 지를 몰라서 운다고 합니다.

성인이 된 우리에게는 아무런 일도 아니죠. 오히려 볼일을 보며 시원하다는 쾌감을 느낄 수 있어서 좋게 느껴지기도 하고요. 낮잠을 자며, 아 자고 나면 피로가 좀 풀리겠지 하는 기대감이 기분 좋게 잠들기도 합니다.

저는 신생아, 아기들이 소변을 누고, 대변을 누고 우는 것은 이해가 갔습니다. 찝찝할 테니까요. 불편하고 불쾌할 테니까요. 그런데, 잠이 온다고 운다는 건 참 재밌었습니다. 소변이 마려워도 어찌해야할 지를 몰라 우는 것도 재밌었습니다.

그러다가 문득 생각이 들더라고요. 나도 지금 그러고 있지 않나 하고요. 무슨 이야기이냐 하면, 지금 내가 처한 상황에 어찌할지 몰라, 막막해하고 갑갑해하며 울고 싶어 하거나 좌절하려고 하지 않나 하는 생각입니다.

아주 조금만 커서 보면, 몇 살만 먹어보면, 소변이 마려운 것, 대변이 마려운 것은 볼일을 보고 나면 해결될 일이고, 보는 도중에는 쾌감까지 주는 일인 것을 알고요. 잠이 솔솔 올 때, 낮잠을 자거나 짧게 잠에 드는 일은 개운한 일이란 것을 알죠.

지금 내가 처한 어려운 환경, 사건, 시련들도 내가 신생아 때 대변 마려운 것

어찌해야할지 모르는 정도의 우스운 것 아닐까 하는 생각이 들었단 말입니다. 몇 개월만 지나면, 몇 년만 지나면 조금 더 성장한 내가 당연한 듯 처리할 수 있게 되지 않을까 하고 말입니다. 잠오면 자면 되지 하는 것 처럼요. 너무나도 당연하게요.

그러니까 우리에게 어떤 시련이 있다면, 아 이거 어떡하지 하며 너무 동동 구르지 말고요. 초조해하지 말고요. 그 초조해하는 모습은 시간 지나 본다면 마치 대변 마려워서 우는 아기 같을 수 있으니까요. 그걸 미리 알고, 이 일은 아무 것도 아닌 일이라는 자신감을 갖고, 문제 해결능력이 있다는 자기신뢰를 갖고, 슬기롭게 잘 해쳐나가 보자는 이야기가 오늘 하고 싶었습니다.

## 60.
## 휴대폰을 왜 멀리해야하죠?


왜? 억만장자들은 휴대폰을 멀리하려고 할까요?

억만장자들이나 자수성가를 한 사람들을 보면, 물론 모두가 그런 것은 아니지만, 대다수가 어느 정도의 시간동안 휴대폰을 보지 않는다는 공통된 이야기를 들을 수 있었습니다. 단지, 그 사실만으로는 설득이 잘되지 않죠? 그렇다면, 그 심층적인 이유는 무엇일까요?

윌슨 연구팀 재밌는 심리 실험 연구를 하나 소개하며 시작하겠습니다.

실험 참가자들을 아무런 자극이 없는 공간에서 아무것도 하지 않고 6분~10분 정도 멍하니 있게 하는 실험이었습니다. 참가자들은 아무것도 안 해도 실험비가 나오니 웬 횡재냐 했겠지만, 반응은 오히려 힘들었고, 불행했다. 는 내용이었습니다.

이번에는 버튼을 누르면 따끔하고 찌릿한 불쾌한 전기자극이 가해지는 버튼도 같이 아무런 자극이 없는 실험공간에 두고 실험을 했습니다. 이 자극에 대한 반응은 참가자들 모두 불쾌하고 다시는 겪고 싶지 않은 느낌이라고 답했었죠.

다시 15분 동안 아무런 자극이 없는 실험 공간에 실험자들을 있게 했습니다. 놀랍게도 34%의 실험참가자가 불쾌한 전기자극 버튼을 눌렀습니다. 확실히 불쾌한 자극임을 알면서도 따분하게 있느니 보다는 찌릿한 전기자극이 가해지는 버튼을 누른 겁니다. 남성의 경우는 67%가 버튼을 눌렀다고 합니다.

이 실험을 통해 알 수 있는 것은, 인간은 외부세계와 연결되려고 하는 특성이 있다는 겁니다. 그것이 설령 나쁘더라도 연결되고자 하는 마음이 있다는 겁니다. 혹, 실험시간이 더 길었으면 더 많은 실험자들이 전기 자극 버튼을 눌렀을지 모릅니다.

 갑자기 무슨 이야기야? 할 수 있겠지만,
휴대폰이란 것은 외부세계와 우리를 연결시켜주는 수단입니다. 그렇지만, 그 연결을 통해 우리가 얻고 배우고 느끼고 개선되는 것은 없죠. 아침에 일어나 휴대폰을 보며 서핑하고 sns를 보더라도 내 삶의 구조적 개선은 없죠. 전기자극 버튼처럼 자극적이고 고통스럽지는 않지만 장기적으로 보았을 때, 해롭다고 볼 수 있습니다.

억만장자나 자수성가를 한 사람들은 이미 알고 있었을지 모릅니다. 아침에 일어나자마자 무의식적으로 휴대폰을 보는 일은 마치 전기충격 버튼을 누르고 싶은 마음과 같다. 해로운 것을 알고 있지만, 단지 나의 외부와 연결되고자 하는 본능적 특성 때문에 생기는 마음이라는 것을.

이를 좀 더 잘 다스려, 먼저 나 스스로의 발전에 이롭게 활용할 준비를 마친 뒤에 써야겠다. 이러한 일련의 사고과정이 자연스럽게 이루어진 것일 지도 모릅니다.

우리도 그럴 겁니다. 따분함과 지루함을 이기지 못해 해로움을 선택할 수 있습니다. 이럴 수 있다는 사실을 명확히 인지하고 개선해나가야 할 일입니다.

저도 아침에 휴대폰을 보는 습관을 없애봐야겠습니다.

# 61.
## 책은 짧게 읽자.

책을 읽는 시간은 아주 짧아야 하고. 거기서 얻은 배움을 현실화하는 시간은 아주 길어야 합니다.

예를 들자면, 저는 피티를 한 달 받았습니다. 운동은 10년을 넘게 해오고 있습니다. 하다 보니 보디빌딩 시합에도 나가고, 바디프로필도 찍고, 대학생 때는 대한보디빌딩협회 주관의 전국 대학생 보디빌딩 대회에서 체급 5위까지도 했었죠.

공부를 할 때도, 개념과 공식을 외우는 건 짧아야 합니다. 완벽하게 외운다고 해서 문제 못 풉니다. 아실 겁니다. 근의 공식 못 외우는 사람 없었죠. 근의 공식 문제 못 푸는 사람, 틀리는 사람 많았죠. 문제를 많이 풀고, 적용을 많이 해봐야 개념과 공식이 머리에 들어옵니다.


배움과 실천은 다른 영역입니다. 끊임없이 배워야하는 것은 모두가 잘 알고 있으면서 끊임없이 실천해야 하는 것은 잘 모릅니다.
하루는 24시간으로 한정되어 있으니 시간을 잘 써야 한다는 이야기를 많이 하죠. 그 보다는 쓸 수 있는 생물학적 에너지가 한정되어 있으니 배분을 더 잘해야 한다는 이야기가 맞습니다.

배우거나 계획하는 데 쓰는 에너지 부분이 있고요.
그것을 실천하고 행동하는 데 쓰는 에너지가 있습니다.
토탈 100의 에너지가 있다고 합시다.

80을 배움에 써버리면 20밖에 남지 않습니다. 20의 에너지로는 아무리 실천을 잘해도 결과가 좋을 수 없습니다.
배움은 20정도가 좋습니다. 80의 에너지를 실천에 투자하는 것이 낫습니다.

많은 부자들이 이야기하기를, 책을 많이 읽었기에 돈이 많은 부자가 될 수 있었다고 말 합니다. 이건, 마치 보디빌더가 근육학과 영양학 공부를 많이 했기에 근육이 많아졌다고 이야기 하는 것과 같습니다. 책을 읽는다고 해서 생기는 수입은 없고, 근육학과 영양학 공부를 한다고 해서 합성되는 근육은 없습니다. 실천해야 한다는 이야기입니다.

왜 실천하지 않고 책만 읽고, 공부만 하게 될까요? 이 자체로도 힘들기 때문에, 어느 정도의 성취감이 느껴집니다. 냉정하게 말해 성취없는 성취감입니다. 이 부분을 명확히 파악해야 합니다. 책 읽고, 공부하는 것은 수단이지 실질적 실천은 아니라는 것을요.

운동이야기를 한 번 더 해보겠습니다. 보디빌딩을 하는데 무슨 수학자마냥 몇 키로 곱하기 몇 렙 몇 세트 총 볼륨은 얼마, 이렇게 까지 할 필요가 없습니다.

이렇게 계획을 세우거나 배우거나 할 때, 주로 활성화 되는 뇌의 영역과 운동할 때 주로 활성화 되는 뇌의 영역이 다릅니다. 계획을 세우는 시간에 운동을 더 해서 운동관련 뇌 내 네트워크를 더 활성화시키는 것이 운동을 더 잘하는 방법입니다.

그러니까 꼭 계획을 잘 세운다고 해서, 실천을 잘 하게 되는 것도 아니라는 이야기죠. 연관성까지 무시하는 것은 아니지만, 인과관계가 아닙니다.

같은 이야기를 여러 번 반복했습니다.

계획을 아주 잘 세운다고 해서 결과물이 꼭 좋진 않고,
근의 공식을 완벽하게 외운다고 해서 문제를 꼭 잘 풀수 있진 않고,
고민을 오래 한다고 해서 해답이 꼭 나오진 않죠. ( 실제로, 연구결과에 따르면
오랜 고민으로 인한 체력적인 저하는 잘못된 결론을 도출할 가능성이 높죠. )

그러니, 지금 당장 머리 쓰는, 전전두엽을 활성화시키는 시간을 줄이고, 액션을
취합시다. 뭔가를 합시다.

## 62.
### 쟁기꾼 스님 이야기

불교 관련 서적을 읽다가 한 재밌는 이야기를 찾았습니다. 쟁기꾼이 있었는데, 하도 사람들한테 무시도 당해서 마음도 힘들고, 일도 고되어 몸도 힘들던 찰나에 길을 가던 한 스님이 왜 그렇게 힘들게 사느냐? 수행자가 되는건 어떠냐? 고 했습니다. 그러자 쟁기꾼은 감히 제가 어떻게 수행자가 되겠습니까...하다가 결국 수행자가 되기로 합니다.

수행자의 길을 권한 스님이 쟁기질을 할 때 입던 옷이며 신발이며 다 숲속 나무에 매달아놓으라고 합니다. 쟁기꾼 수행자는 영문을 알수는 없었으나 매달아 놓았습니다. 처음에는 너무 좋았답니다. 사람들로부터 무시당하지도 않고, 존경을 받고, 쟁기질을 안 해도 되고, 밥 걱정도 안해도 되고요. 그런데 시간이 갈수록 하나씩 불만이 생기는 겁니다. 공부도 잘 안되고, 계속 다시 쟁기질을 하던 때가 생각이 나는 거죠. 그 때 숲속에 매달아 뒀던 쟁기꾼 시절에 입었던 옷과 신발을 보고 옵니다. 그러고는 자기 스스로를 꾸짖으며 다시 마음을 다잡습니다. 그 후애도 수차례 숲속에 들어가 과거를 떠올리며 반성하고 돌아옵니다.

내가 괜찮은 사람이 되면 그걸로 끝일까요? 정말 괜찮을까요?
아닙니다. 끊임없이 괜찮은 사람이 되려고 해야 괜찮습니다.

되고 나면 끝! 이제 괜찮다! 가 아니라 끊임없이 수행하고 정진해야 합니다.

보디빌더로 예를 들어봅시다. 보디빌더로 시합을 나갔으면 그걸로 끝일까요? 아니겠죠. 꾸준히 식단과 운동을 계속해서 해야 보디빌더인 겁니다.

전교 1등을 했으면 그걸로 끝일까요? 아니죠. 꾸준히 공부를 해야 하고,

스스로를 계속 테스트 해야 전교1등인 겁니다.

좋은 사람이 됐으면 그걸로 끝일까요? 아니죠. 꾸준히 좋은 일을 해야 하고, 선행을 베풀어야 좋은 사람인 겁니다.

부자가 되면 그걸로 끝일까요? 아니죠. 꾸준히 돈을 버는 일을 해야 하고, 자신의 업무에 집중을 해야 부자인 것이겠죠.

우리는 아, 무언가가 됐으면 좋겠다. 정지되어 있는 상태를 바랍니다. 부자가 되고 싶다. 보디빌더가 되고 싶다. 1등이 되고 싶다. 이렇게요. 사실 바라야 할 것은 상태가 아닙니다. 쟁기꾼에서 스님이 된 이야기 속 인물의 사례를 보면 알 수 있죠. 스님이 되어 일도 안하고, 쟁기질도 안하고, 존경도 받으면 얼마나 좋을까? 했지만, 스님이 된 것 자체로 그런 번뇌가 해결된 것이 아니죠. 끊임없이 반성하고 또 반성하고 공부하고 또 공부할 때만이 그 번뇌가 해결된 거죠.

마찬가지입니다. 우리도 무엇인가 되기를 바라지 말고, 스스로 반성하며 무엇인가 하기를 바라야 합니다. 되기보다 하기를, 정지된 상태보다 중요한 것은, 지금 내가 무엇을 하고 있느냐 입니다. 당신은 오늘 무엇을 하고 있나요?

# 63.
아들러

요즘 유행하는 mbti도 좋지만, 아들러 심리학에서 이야기 하는 라이프스타일 유형을 파악하는 것도 더 나은 삶을 살아가는 데 도움이 됩니다. 사실 저로서는 mbti 성격 유형을 파악하는 것 자체는 오히려 당위성을 제공하며 개선의 여지를 준다는 느낌이 적더라고요. 그러니까 내 mbti 유형은 istp니까 원래 이래. 원래 좀 게을러. 원래 공감능력이 떨어져. 같은 느낌입니다. 고정적인 느낌이죠. istp라 원래 게으르기도 하고, 공감능력이 떨어지니 이를 개선하기 위해서 규칙적으로 운동을 하거나 공부를 하거나, 공감능력을 기르기 위해 문학작품을 읽거나 사회적 활동을 많이 해야한다는 개선방향 제시로 잘 이어지지 않는 거죠.

저와 비슷한 느낌을 받았던 분들에게는 아들러가 제시하는 라이프스타일 유형을 조금 공부해보면 좋습니다. 아주 간단하게만 설명 드리겠습니다. 과제달성을 중요하게 여기는가! 대인관계를 중요하게 여기는가! 이것이 한 기준이고요. 또 능동적인가! 수동적인가! 이것이 또 한 기준입니다.

과제달성을 중요시하면서 능동적인 태도를 가진다면 우수성 추구형
과제달성을 중요시하면서 수동적인 태도를 가진다면 안전 추구형
대인관계를 중요시하면서 능동적인 태도를 가진다면 주도권 추구형
대인관계를 중요시하면서 수동적인 태도를 가진다면 좋음 추구형

으로 나뉩니다.

우수성 추구형 인재는 무의미한 것을 싫어합니다. 그러니까 현실적인 이익 외의 것들에 대해서는 중요성을 못 느끼는 거죠. 도전하고 쟁취하는 타입입니다. 돈독한 인간관계에서 오는 그 따뜻함 등의 가치를 이해하지

못하는 단점이 있습니다. 싸가지 없는 전교 1등을 떠올리시면 좋겠습니다.

안전 추구형 인재는 스트레스를 싫어합니다. 말 그대로 안전함을 추구합니다. 여유로움, 평화로움, 보수적인 느낌이죠. 루틴대로 진행하며 안정적으로 가기를 원합니다. 도전하고 쟁취해야 하는 것을 싫어합니다. 남들 다 하는 것들을 안정적으로 수행하는 부류를 떠올리면 이해가 쉽습니다.

주도권 추구형은 부끄러움을 싫어합니다. 대인관계를 우선시 여기면서도 능동적이기 때문에 관계 속에서 주도권을 쥐는 것을 목표로 합니다. 그러기에 지시를 받거나, 명령을 받는 상황 및 느낌 조차 견디기 어려워 합니다. 나서기를 좋아하고 반장이 되고 싶어 하는 부류를 떠올리시면 이해가 쉽습니다.

좋음 추구형은 스트레스를 싫어합니다. 대인관계를 우선시하면서 수동적인 타입이므로 주변 사람들에게 호감을 얻는 것을 중요시 여깁니다. 다만, 과제달성 및 능동성 추구와는 거리가 멀기에 타인의 높은 기대에 부응해야 하는 상황에서 크게 스트레스를 받습니다. 좋은게 좋은거지 하는 타입입니다.

본인이 특히 무엇을 견딜 수 없는지 생각해보시면 됩니다. 그러고 반대의 가치의 중요성에 대해 진심으로 이해하려고 해야 합니다. 저는 비교적 우수성 추구형 타입에 가깝습니다. 그러기에 저는 반대로 대인관계를 잘 유지하는 것이 얼마나 중요한 지에 대해 공부를 많이 합니다. 다른 사람에게 좋은 사람이 되는 것은 정말 중요한 일입니다. 그 자체로도 중요하지만, 제 자신에게도 실질적 이익이 되기에 더더욱 중요한 일입니다.

사람들이 필요로 하는 사람은 중요한 일을 할 수 있거나, 원하는 일을 할 수 있는 사람이죠. 아파보신 분들은 아시겠지만, 그 때는 정말로 진심으로 치유가 너무 필요합니다. 치유받고 싶은 마음이 큽니다. 그러기에 그 치유를 해줄 수 있는 의료인이 필요하죠.

감정적으로 힘들 때, 위로해줄 수 있는 멋진 노래를 부를 수 있는 가수도 필요하죠. 불이 났을 때, 이 불을 진화시켜주 수 있는 소방관이 필요하죠.

이처럼 사회적으로 필요한 일을 할수록, 더 원하는 수요가 많은 일을 할수록 어찌보면 능력있는 사람이 되는 겁니다. 정말 치료를 잘 하고, 정말 노래를 잘 하고, 정말 불을 잘 소화시키는 사람이 필요한 겁니다. 다시 말해 다른 사람들에게 도움이 더 많이 될수록 더 능력있는 사람이 되는 셈이죠. 과제달성이 더 잘 이루어진다는 말입니다. 다른 사람들에게 도움이 더 되려면 진심으로 다른 사람을 위해야만 합니다. 그러려면 대인관계의 중요성을 잘 이해해야만 하는거죠.

이런 겁니다. 저는 우수성 추구형 타입에 가깝지만, 오히려 그 반대인 좋음 추구형 터입의 가치를 진심으로 이해함으로서 더 나은 사람이 될 수 있다는 이야기입니다. 본인을 이해하기 위한 툴일 뿐만 아니라 더 발전시킬 수 있는 툴이기도 합니다.

당신은 어떤 유형에 속하시나요? 반대의 유형은 무엇이며, 어떤 부분을 더 이해하셔야 하나요?

# 64.
## 정조대왕


지덕체를 모두 갖춘 조선의 유일한 왕이라고 할 수 있는 정조입니다. 자주 비교되는 세종대왕을 보자면 세종은 지와 덕은 갖추었으나 운동을 싫어하며 편식이 심해 비만했었죠.

신하들이 묘지문(墓誌文)에다가 "우리 임금께서는 진실로 성인이셨다" 라고 적은 경우가 전무후무한 일이다. 성인이라는 단어가 참 중요하죠. 누가 봐도 위대했던 겁니다. 세종조차 성인이라는 칭호를 받지 못했죠. 이 사실만 보아도 정조라는 인물의 삶을 공부해볼만 하다는 생각이 듭니다.

정조 역시 삶의 출발점이 참 마음이 아픕니다. 임오화변입니다. 영조가 자신의 아들인 사도세자를 잠시 평민으로 폐위시킨 뒤 뒤주에 8일간 가두어 굶겨 죽인 일이죠. 어린 정조는 아버지인 사도세자의 죽음의 광경을 보고 큰 충격을 받죠. 영조는 정조를 편애했습니다. 자주 불러 글도 읽어주고 공부도 시키며 큰 신뢰를 주었죠.

임오화변의 과정 중에 사도세자가 아버지인 영조에게 애걸한 대사는 이렇습니다. 《한중록》에 따르면
"아버님, 아버님. 잘못했습니다. 앞으로는 글도 잘 읽고 말씀도 잘 들을 테니 제발 이러지 마소서!"
라고 애걸했지만 영조는 요지부동으로 세자에게 칼을 던져 주며, 자결하라고 강요했습니다.
영화 '사도'를 보면 이러한 장면이 나옵니다.

무튼, 정조는 어린 시절 받은 큰 충격의 배경에 공부가 있습니다. 물론 임오화변의 직접적인 원인은 아니었겠지만, 학문에 정진하는 태도 역시

영조가 사도를 미워하고 정조를 편애하는 데 큰 영향을 주었을 것임을 짐작할 수는 있죠. 어린 정조로서는 일종의 생존법으로 학문에 정진했던 부분도 있었을 것입니다.

트라우마로 작용할 만한 충격적인 사건에서 오히려 그는 지의 중요성, 지식의 중요성을 뼈저리게 느끼고 학문에 정진해야 한다는 점을 일찍이 깨달았을 수 있겠습니다.

일득록》에서 정조의 독서광 성격이 잘 드러난다.
상이 말하길 요사이에 읽는 책이 어떠한 것이 있느냐? 라고 하자 신하들이 바빠서 읽는 책이 없다고 하자 다음과 같이 하교하였다.
이는 하지 않는 것이지 못 하는 것이 아니다. 공무를 보느라 여가가 적기야 하겠지만, 하루에 한 편의 글을 읽고자 한다면 그것은 어렵지 않을 것이다. 이렇게 과정을 세워 날마다 규칙적으로 해 나간다면 일 년이면 몇 질의 경적을 읽을 수 있고, 몇 년 간 쉬지 않고 꾸준히 해 나간다면 칠서를 두루 읽을 수 있는 것이다.

정조대왕의 잔소리를 이렇게나마 간접적으로 들으니 기분이 좋습니다. 비단, 독서 뿐만 아니라 운동, 공부 등 모든 우리가 원하는 목표에도 적용이 될 이야기인데요. 하지 않는 것이지 못 하는 것이 아니다. 랍니다. 맞는 말입니다. 내 주변 사람들이 나에게 하는 잔소리는 듣지 않더라도, 정조대왕이 하는 잔소리는 같은 말이라도 더 들립니다.

## 65.
## 방글라데시 행복 이야기

행복은 상태가 아니라 방향입니다.

제가 어릴 때 참 이슈가 되었던 것이, 영국 BBC 방송의 조사 결과로 방글라데시가 국민 행복지수 1위라는 이야기였습니다. 최빈국 중의 하나인 방글라데시가 어떻게 국민 행복지수가 가장 높을 수가 있을까? 역시 행복은 물질적인 풍요가 아니라 정신적인 풍요에서 오는구나. 하는 결론을 내리기에 좋은 근거로 활용되곤 했었죠.

사실은 좀 다를 수 있습니다. 방글라데시의 문맹률은 약 80%에 달한다고 합니다. 행복 지수 조사는 글을 읽을 수 있는 사람을 주요 대상으로 진행되었겠죠. 그러다보니 방글라데시에서 글을 아는 사람들은 비교적 높은 경제력을 소유하고 있는 계층일 가능성이 높으므로 행복지수가 높게 나왔을 수 있습니다.

무튼, 이 이야기를 하려는 것은 아닙니다. 제가 오늘 드리고 싶은 이야기는 행복은 상태가 아니라 방향이라는 겁니다. 쉽게 이해하기 위해서 통장잔고를 들고 오겠습니다.

마이너스 1억, 플러스 1억이 있냐, 없냐에 따라 행복한 것이 아니라는 이야기죠. 이 사실만 깨닫게 되면 내가 어떤 상황에 처해있던 긍정적인 마음으로 극복해낼 수 있게 됩니다.

마이너스 1억이 있는데 매달 플러스 100만원씩 늘어나고 있다면, 비록 한 동안 마이너스 상태에서 살겠지만, 행복할 수 있습니다. 나아가는 방향이 + 이기 때문입니다.

플러스 1억이 있는데 매달 마이너스 100만원씩 줄어들고 있다면, 비록 한 동안 플러스 상태에서 살겠지만, 불행할 수 있습니다. 나아가는 방향이 −이기 때문입니다.

우리는 방향을 보지 않고 상태만 보려고 합니다. 다 필요 없고, 지금 내가 빚이 많잖아. 나는 불행해. 저 계좌가 든든한 사람은 얼마나 행복할까. 이런 식으로요. 등산을 할 때, 바닥을 보지 않고, 정상만 바라보고 걸을 수 없습니다. 돌부리에 걸려 넘어집니다.

현실도 마찬가지입니다. 저 멀리 있는 목표를 바라보면 지금 해야 할 일을 하지 못합니다. 우리는 매일 +방향으로 나아가는 삶을 사는 것이 중요하지. 지금 + 상태에 있는 것이 중요한 것이 아닙니다. + 상태에 있더라도 매 순간 −로 살면 그것 역시 불행이기 때문입니다.

그러니까 처음에 이야기 했던 방글라데시의 국민 행복지수가 높다는 조사결과가 사실이든 사실이 아니든, 바람직한 방향성을 제시해주는 의미가 있는 겁니다. 현 상황에 대한 판단은 좋든 나쁘든 아무래도 좋습니다. 판단으로 바꿀 수 있는 것은 아무 것도 없으니까요.

그런겁니다. 지금 당신은 고도비만입니다. 라는 판단, 진단 만으로는 살이 빠지지 않죠. 그 뒤에 어떻게 태도를 바꾸고 어떠한 행동을 하느냐 이것이 오롯이 중요합니다.

지금 나의 시험점수는 100점 만점에 50점이라고 합시다. 이러한 판단 자체가 바꾸는 것은 아무것도 없지만, 나쁜 판단은 앞으로 절망감을 유발할 수 있고요. 지금 나의 시험점수는 100점 만점에 100점이라고 합시다. 이러한 좋은 판단, 역시 바꾸는 것은 아무 것도 없지만, 좋은 판단은 앞으로 방심을 유도할 수 있습니다.

그러니까 현 상황은 솔직히 별 상관이 없을 정도입니다. 저는 개인적으로는, 제 발전을 위해서는 상황이 심지어 나쁘면 더 좋다고 생각하기도 합니다. 더 나아지고 싶은 마음이 더 커지니까요.

결론은, 지금 내가 가시밭길에 서있든, 꽃길에 서있든, 필요 없고, 성장하고 있는가, 쇠퇴하고 있는가 이것이 중요합니다.

## 66.
### 당당함과 겸손함, 거만함과 비굴함.


당당함이 지나치면 거만함이 되고, 겸손함이 지나치면 비굴함이 된다. 공감이 가는 문장인가요? 그렇게 생각하기 쉽습니다. 비슷한 성질이라는 생각이 드니까요. 그렇지만, 실제론, 당당함과 겸손함이 짝이고요. 거만함과 비굴함이 짝입니다. 당당하면 겸손하기 쉽고요. 거만하면 비굴하기 쉽습니다.

성질의 양(퀀터티)적인 차이가 아니라 성질의 질(퀄리티)적인 차이입니다. 아예 차원이 다른 가치들이라고 보시면 됩니다. 쉽게 말해, 돈이 가치관의 핵심인 사람은 자신보다 돈이 적은 사람에게는 거만할 것이고요. 많은 사람에게는 비굴하겠죠. 주도권 자체가 자신에게 있는 것이 아니고 돈에 있기 때문이죠. 핵심 가치가 돈이나 외모, 인기 등 외부에 있다면 이렇게 거만해지기 쉽고 비굴해지기 쉽습니다. 권력 앞에 비굴한 사람은 권력을 쥐었을 때, 거만하고 오만하기 쉽습니다. 권력이 가치라 생각하기 때문이죠. 사람이 더 이상 가치가 되지 않는 거니까요. 이렇듯 사람이 아니라 외부적인 요인에 가치있게 되면 우리는 그 가치를 구하기 위해선 비굴할 수 있고, 갖고 있을 때는 거만할 수 있는 겁니다.

반면, 핵심 가치관이 자기 자신, 사람에게 있다면 다릅니다. 아무리 높은 권력가가 마주하건, 엄청난 부자를 마주하건, 당당할 수 있습니다. 디오게네스와 알렉산더 대왕의 이야기 아시죠? 디오게네스는 견유학파 철학자인데요. 간단하게 말해 개같이 사는 사람입니다. 그에게 알렉산더 대왕이 찾아와 필요한 것이 있는지 물어보았죠. 그러자 디오게네스는 태양을 가리니 좀 비켜달라고 이야기 했다고 합니다. 이 부분은 디오게네스가 무례하다고 생각할 수도 있겠지만, 그건 높은 사람에게는 예의를 더 갖추어야 한다는 인식이 무의식 속에 자리잡고 있기 때문이라고 봐야죠. 권력을 중시하는 관이 내재되어 있기 때문인 거죠. 디오게네스 입장에선 알렉산더 대왕이 무례한 것이죠. 본인의 조망권을 해친 셈이니까요. 이런 부분이 당당함이라고 볼 수 있겠습니다. 만약 대왕에게 한푼이라도 받고자 했다면, 한 자리라도 얻고자 했다면, 그에게 원하는 것이 있었다면, 비굴한 모습을 보였겠죠. 솔직한 말로 저라도 그랬을 것 같습니다.

명확하지는 않지만 디오게네스가 했으리라 추정되는 명언입니다. "조용해야 경청을 배운다. 경청하면 말하는 법을 배운다. 말을 하면 침묵하는 법을 배운다." 겸손의 의미가 담겨있습니다. 남을 다스리려 하기 보다도 조용히 자기 자신의 내면에 집중해야 경청도 배우고, 말하는 법도 배우며, 침묵하는 법을 배울 수 있다는, 가치를 얻을 수 있다는 내용입니다. 겸손의 의미를 잘 설명해주는 문구라고 볼 수 있겠습니다.

이렇듯 당당한사람이 겸손할 수 있고요. 거만한 사람이 비굴할 수 있습니다.

매 순간 순수하게 당당하고 겸손할 수는 없겠지만, 거만해지고 비굴해지려고 할 때, 흐트러지려고 할 때, 나를 다잡기 위해 꼭 알아둬야 할 부분입니다.

## 67.
'힘내' 라는 말이 위로가 되지 않는 이유는?

위로 (慰勞)
[위로] 발음듣기
따뜻한 말이나 행동으로 괴로움을 덜어 주거나 슬픔을 달래 줌.

누군가의 진심어린 위로는 힘들 때 큰 힘이 된다곤 합니다. 사실 고백하건대, 저는 그런 적이 없습니다. 그 누구의 진심어린 위로도 제게 큰 힘이 된 적이 없습니다. 물론 진심어린 위로를 해준 사람에게 감사한 마음은 당연히 있습니다. 얼마나 저를 생각해주었는지 상상하자면 감격스럽기까지 합니다. 그래도, 제 힘든 상황을 극복하는 데 큰 힘이 되지 않는 것은 여전한 사실로 있습니다. 냉정하게 말해서 위로는 최소 저에게는 별로 도움이 되지 않습니다.

저는 이렇게 위로를 받는 일을 별로 좋아하지 않습니다. 그 이유로는

첫 번째로, 위로를 받는 상황 자체가 저로 하여금, 힘든 상황에 있다는 것을 더 명료하게 자각하게 만들기 때문에 오히려 더 기분이 나빠질 때도 있습니다. 심하면 무능감이 느껴지기도 하고요. 물론, 위로를 건넨 상대방의 잘못이 아님을 인지해야겠죠.

둘째로는 또 위로란 것은 감정적인 임시방편일 뿐입니다. 사건의 문제 해결에서 한 발짝 멀어지게 만든다는 생각이 듭니다. 시험을 망친 뒤 위로를 받는다고 해서 점수가 오르는 것도 아니고, 오히려 위로를 받고 괜찮다는 마음의 위안을 얻게 되면 더 큰 일이죠. 낮은 점수로도 괜찮다는 생각이 든 셈이니까요.

마지막으로는 일이 마무리가 된 듯한 느낌을 주기 때문입니다. 위로는 회복

불가능한 상처에는 의미가 있을 수 있습니다. 예로 애지중지하던 반려견이 죽었을 때 같은 상황이죠. 해결할 수 있는 방법이 없습니다. 아무런 방법이 없기 때문에 그제 서야 위로가 의미를 찾을 수 있습니다. 그렇지만, 우리가 대부분 위로를 받는 대부분의 상황은 다릅니다. 시험을 망쳤을 때, 목표를 이루지 못했을 때, 연인과 헤어졌을 때, 사업에 실패했을 때, 는 위로가 아니라 방법이 필요합니다. 어떻게 하면 의기소침해진, 의욕이 극도로 저하된 상태로부터 벗어날 수 있을까에 대한 현실적인 궁리가 필요한 상태지, 그러한 상태라서 힘들겠구나라는 감정적 동조가 필요한 상태가 아니죠.

만고 제 생각인 부분입니다. 오늘은 왠지 위로가 필요할 것 같은 날이면, 저는 저를 이런 식으로 위로 아닌 위로를 합니다. 제 방식의 위로가 구독자분들께도 닿았으면 좋겠습니다. 위로는 위로가 되지 않으니 우리 힘내봅시다.

# 68.
## 작심삼일의 이유.


운동하기로 마음을 먹어도 작심삼일입니다. 저는 왜 그럴까요?

운동을 안 하던 시간은 얼마나 되나요? 10년? 20년? 30년? 정도 될까요? 그 시간 동안 운동을 하지 않는 습관을 단단하게 만들었기 때문입니다. 고작 삼일 정도로 운동하는 습관이 만들어지지는 않습니다. 운동을 하지 않는 습관이 깨어지지는 않습니다. 당연한 겁니다. 작심삼일은 당연한 겁니다. 누구나 작심삼일입니다. 그 마음을 먹고 실천하기로 한 삼일을 제외한 모든 날은 그와 반대되는 행동이 쌓였겠죠. 운동하는 삼일과 운동을 하지 않은 삼십년이라던가, 공부하는 삼일과 공부를 하지 않는 삼십년이라던가요.

왜 저는 작심삼일일까요? 이 질문에서 '왜 저는'이 들어갈까요? 본인이 유난히 의지력이 약하다고 생각해서 그런 걸까요? 그렇지 않습니다. 누구든 의지력이 다 약합니다. 저도 약합니다. 나라고 특별히 의지력이 약해서 작심삼일이 아닙니다. 남들 다 그렇습니다. 우리가 개미 떼를 보면 구별할 수 있습니까? 다 비슷해 보이죠. 다 비슷하기도 하고요. 사실 사람도 그렇습니다. 다 비슷합니다.

작심삼일은 당연한 거고요. 작심삼일을 극복하고 멈추지 않고, 꾸준히 하는 것이 진정한 작심, 결심이라고 할 수 있습니다. 작심삼일로 끝이 났다면, 그 작심은 실로 작심이 아니라 단지 말 뿐 인겁니다. 작심삼일이 아니라 발언삼일입니다. 말로는 무엇이든 할 수 있습니다. 보디빌더가 되겠다. 석학이 되겠다. 세계 평화를 만들겠다. 환경문제를 고치겠다. 빈곤 및 기아를 없애겠다. 모두를 행복하게 만들겠다. 이런 허황된 말 인겁니다. 말은 영양가가 없습니다. 껍데기입니다.

처음 운동을 연달아 삼일을 한 시점에서 앞으로 운동을 꾸준히 할 확률과
포기할 확률

그리고 처음 운동을 연달아 사일을 한 시점에서 앞으로 운동을 꾸준히 할
확률과 포기할 확률

또 처음 운동을 연달아 오일을 한 시점에서 앞으로 운동을 꾸준히 할 확률과
포기할 확률

이 하루하루의 차이가 앞으로 꾸준히 이 운동을 할 확률에 엄청난 영향을
미칩니다. 일주일을 운동을 하면 앞으로도 꾸준히 할 가능성이 생깁니다. 한
달을 하면 앞으로 꾸준히 할 가능성이 포기할 확률과 같아집니다. 세 달을 하면
앞으로 꾸준히 할 가능성이 더 높아집니다. 운동을 세 달만 하고 그만
둬보십시오. 세 달을 하고 난 뒤면 그만두기가 더 어려울지 모릅니다. 자전거도
처음 페달을 밟기가 힘듭니다. 밟다가 밟다보면 발을 떼어도 앞으로 나아가고
있죠. 마찬가지입니다.

진정으로 작심했다면, 비가역적인 변화를 원한다면, 지나온 삼십 년 간의 내
습관을, 카르마를 극복하려면, 최소 삼십년은 꾸준히 할 굳은 마음으로
시작해야 합니다. 말뿐인 마음으로 작심을 해보았자, 작심이 되지 않습니다.
애초에 작심은 아무나 할 수 있는 게 아닙니다.

우리는 그 작심을 통해 앞으로의 삶을 바꾸어 봅시다. 작심삼십년 입니다.

## 69.
돈을 많이 버는 방법

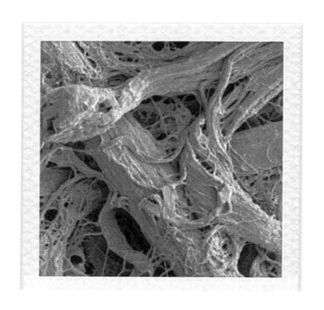

종이를 현미경으로 확대한 사진입니다. 확대한 사진만으로는 종이인지 유추하기가 어렵죠. 돈 버는 일도 마찬가지라는 생각이 듭니다. 우리는 돈을 버는 일 자체에 집중하는 경우가 많습니다. 돈을 많이 벌고 싶은 마음이 크기 때문이죠. 돈을 벌고 싶은 마음이 크면 클수록 종이를 현미경으로 더 확대해서 보는 것과 같다고 보시면 됩니다. 종이가 종이인 줄 더욱 알 수가 없게 되는 거죠. 더 파고들수록, 더 욕심이 커질수록, 한발 멀어져서 보는 시각이 사라지는 겁니다.

저는 한의사입니다. 내츄럴 보디빌더기도 하고요. 유튜버기도 합니다.

작가기도 하고요. 사업가이기도 합니다. 물론 돈을 많이 벌고 싶습니다만, 돈을 많이 벌고 싶다는 생각에 집중하지 않습니다.

예를 들어보겠습니다. 제가 진료를 보면 저도 진료비를 받습니다. 이 진료를 돈을 버는 행위라고 생각해서는 안 됩니다. 진료의 본질은 진료를 통해 환자의 병이 낫는 것입니다. 즉, 제가 타인을 도와서 생긴 돈입니다. 타인을 돕는 것이 근본이죠. 식당에서 맛있는 음식을 먹고 식비를 지불합니다. 이때, 저는 맛있는 음식으로 허기진 배를 채웠습니다. 요리사가 제 허기를 채워줬죠. 저는 도움을 받았고, 돈을 쓴 겁니다. 도움을 주었으니 돈을 받은 것이고요, 도움을 받았으니 돈을 낸 것이죠. 그리고 한 가지 명확한 특징이 있습니다. 좋은 진료를 받은 환자는 '감사합니다' 하고 인사를 합니다. 좋은 음식을 대접받은 손님은 감사합니다하고 인사를 합니다. 이 '감사합니다' 라는 인사를 많이 받을수록 우리는 좀 더 사회적으로 필요한 사람이 되어간다는 뜻이고, 부수적으로 부라는 목표에 가까워진다는 뜻이기도 할 것입니다.

물론, 도움을 준다고 해서, 받는다고 해서 무조건 돈을 받고 내진 않습니다. 호의로 몸이 불편하신 노약자를 도울 수 있고요. 저도 길을 잃었을 때, 누군가로부터 안내를 받을 수도 있습니다. 이렇게 도움과 돈은 필연적으로 연결되어 있진 않습니다. 이렇게 돈과 타인을 돕는 행위의 필연성이 끊어져 있기 때문에, 이 둘을 별개로 보는 경우가 많습니다. 그래서 돈을 많이 벌고 싶다는 마음에는 타인을 더 잘 돕고 싶다는 마음이 같이 들지 않는 경우가 많습니다. 이러한 경우 타인을 더 잘 도와야 한다는 근본을 잃었기 때문에 실패하게 됩니다. 또는 타인을 해쳐서 돈을 많이 벌려는 사회에 악이 되는 마음도 생기게 되죠. 돈, 성공에 대한 열망은 이러한 방향으로 나아가서는 안 됩니다.

진료를 더 잘하는 한의원이 더 잘 될 것이고요. 더 맛있는 음식을 제공하는 식당이 더 잘 될 것입니다. 자동차를 더 잘 고치는 정비소가 잘 될 것이고요. 페인트칠을 더 잘 하는 인테리어 업체가 더 잘 될 것입니다. 타인을 더 잘 돕는 사람이 성공할 수 있는 겁니다.

우리는 돈을 더 많이 벌려고 집중해서는 안 됩니다. 누가 돈을 많이 벌 수 있는지를 먼저 파악해야 합니다. 타인을 잘 돕는 사람입니다. 그렇다면, 나는 어떻게 타인을 도울 수 있을까를 생각해봐야 하고 이것에 집중해야 합니다. 공부를 해서 더 높은 수준의 진료를 보는 것도 중요할 것이고, 신메뉴 연구개발을 통해 맛있는 음식을 개발하는 것도 중요하겠죠. 새로운 기술을 개발하여 일상생활의 혁신을 이루는 것도 중요할 것이고요. 이렇게 생각한다면, 정말 대부분의 부자들이 이야기 하듯, 돈을 좇으려 해서는 돈을 벌수가 없다는 말이 이해가 갑니다. 마치 현미경으로 종이를 보아서는 종이인지 알 수가 없는 것과 같습니다.

타인을 더 잘 돕는 사람일수록 성공하는 사회가 바람직합니다. '감사합니다' 라는 이야기를 많이 들어 봅시다. 우리도 성공해봅시다.

## 70.
## 현재의 고통에 집중하는 법


구독자 한 분께서 제 영상을 보시고 질문을 해주셨습니다. 제 영상의 내용은 과거에 대한 후회, 미래에 대한 불안에 휩쓸릴 때, 현재의 고통을 마주하라는 것이었습니다. 물론 그 고통은 공부나 운동, 업무 등 생산적인 고통으로 구성해야 한다는 이야기까지요. 추가적으로 그렇게 좋은 예시는 아니지만, 자학에 대해서도 좀 이야기를 해볼게요. 정신적으로 스트레스가 과도한 경우 사람은 자학을 합니다. 굉장히 불안하거나 지나치게 후회에 사로잡히는 경우 자기학대를 합니다. 건강하신 분들은 이해를 못하시겠지만, 그러한 분들의 이야기를 들어보면, 자기학대를 할 때, 자기 머리를 때릴 때, 그 응어리가 그나마 풀린다고 말 합니다. 그나마 해소된다고 말합니다. 이처럼 고통은 현재에 집중하게 해준다는 측면에서 과거와 미래의 속박으로부터 벗어나게 해줄 수 있습니다. 물론 저는 이러한 고통이 아니라 생산적인 고통을 추구해야 한다는 이야기를 많이 합니다. 서론이 좀 길어졌네요.

구독자분의 질문은 이렇습니다. 현재의 고통에 집중하는 도중, 공부나 운동을 하는 도중에 과거에 일어났던 일들이 자꾸 떠올라 후회가 되고, 미래에 일어나지 않은 일들이 상상되어 불안이 될 때는 어떻게 해야 할까요? 라는 질문입니다.

후회의 근본과 불안의 근본을 파악해보면 됩니다. 별게 아닙니다. 별게 아니고, 사실 그것들에 대해서 어떠한 조치를 취할 수 없기 때문에, 의미가 없어집니다. 개는 반가우면 꼬리를 흔들죠. 이것에 대해 어떤 조치를 취할 수 없는 것과 마찬가지입니다. 우리가 갑자기 뜨거운 물건을 만지면 '앗! 뜨거!' 하고 화들짝 놀라죠. 마찬가지입니다.

과거에 대한 후회의 이유는 다양하겠지만, 제가 하는 후회는 주로 과거의 잘못입니다. 인간은 사회적 동물이기에, 사회에 해를 끼치는 행동을 하면 그것에 대해 반성하도록 진화해왔습니다. 개인의 이익만을 추구하는 동물이 아니라, 집단생활을 하는 동물이기에, 그 집단에 해가 되는 행동을 하면 집단 전체의 생존율이 낮아지고, 자신의 생존율 역시 낮아지기 때문에, 그것이 잘못되었다고 인지하고, 반성하게 되어 있는 겁니다. 물론, 일부 개인의 이익을 추구하는 경향도 있지만, 이러한 사회적인 특성 때문에 과거 잘못에 대한 후회가 자연스럽게 있는 겁니다.

또한 미래에 대한 불안 역시 자연스러운 겁니다. 지금이야 의식주가 어느정도 안정적으로 제공되는 상태로 생존에 대한 불안감이 많이 줄어들었습니다만, 인류의 역사를 살펴보았을 때, 대부분의 시기를 인간은 불안했어야만 합니다. 당장 사냥에 성공하여 먹을 음식이 있다고 하더라도, 금방 상할 것이고, 금방 다시 배고파질 것입니다. 그러기에 안주와 만족은 잠깐이어야만 하고, 끊임없이 내일 사냥할 것, 모레 사냥할 것을 생각하며 불안해야 준비를 할 수 있었습니다. 당시의 불안감은 대비를 하게 만들었습니다. 그러나 현대사회의 불안은 더 이상 별로 필요가 없습니다.

이렇듯, 과거의 후회도 자연스럽고, 미래의 불안도 자연스럽습니다. 자연스럽지만 필요하진 않습니다. 이를 명확히 인지하고, 현재의 고통에 집중하면 됩니다. 후회에 사로잡히면 후회에 갇히고요. 불안에 사로잡히면 불안에 갇힙니다. 후회를 필요 없는 것으로 인지하면 더 이상 사로잡히지 않고요. 불안을 필요 없는 것으로 인지하면 역시 더 이상 사로잡히지 않습니다.

이제 현재의 고통에 집중을 해볼까요?

## 71.
### 강한 멘탈을 갖고 싶다면

힘든 일을 해야 합니다.

이 악물고 힘든 공부하는 사람들의 모습을 보면 대단하죠. 굵은 땀방울 뚝뚝 흘리며 높은 강도의 운동을 하는 사람들의 모습을 보면 대단하죠. 부러움을 느낍니다. 그리고 나도 저 사람처럼 강한 정신력을 가졌으면 좋겠다는 생각이 듭니다.

이 생각이 드는 것 자체가 포기입니다. 포기를 위한 자기합리화가 이루어지는 순간입니다. 나는 저 사람과 다르게 멘탈이 약하기 때문에 힘든 공부나 운동을 할 수가 없다는 것이 합리화가 되는 겁니다. 나는 저 사람과 다르게 강한 멘탈이 없다고 생각하니까요.

강한 멘탈은 힘든 상황에서 만들어집니다.

물로 비유해보겠습니다. 40도에서 물은 끓지 않습니다. 수증기가 되지 않습니다. 100도가 되어야 끓고 수증기로 바뀌죠. 마찬가지입니다. 멘탈 역시 40도에서는 강해지지 않습니다. 100도가 되어야 강해지는 겁니다.

정신력이 강해서 힘든 공부나 운동을 할 수 있는 것이 아닙니다. 힘든 공부나 운동이 요구되는 환경 속에 있기 때문에 정신력이 강해지는 겁니다. 물도 수증기라서 100도인 것이 아니고, 100도라는 환경 속에 있기 때문에 수증기가 되는 겁니다.

피터지게 힘든 일을 하라는 이야기가 아닙니다.

40도인 물도 한 번에 100도로 높아지진 않죠. 서서히 오릅니다. 차근차근 올라 100도에 수렴합니다. 우리도 힘든 환경 속에 노출이 되면, 서서히 강해집니다. 한 번 운동 나간다고 하루 공부 열심히 했다고 100도로 안되죠. 매일 꾸준히 반복하다보면 어느 샌가 100도가 되어 있을 겁니다.

쉬운 일을 할 때는 정신력이 약해도 됩니다. 오직 힘든 일을 할 때만 강한 정신력이 요구가 됩니다. 쉬운 일만 하며 강한 정신력을 부러워하는 것은 마치 40도에 머무르면서 수증기가 되기를 원하는 것과 같습니다. 100도의 환경으로 들어가야 합니다. 그래야 멘탈이 강화되는 겁니다. 수증기가 됩니다.

우리의 멘탈은 결국 우리가 어떤 하루를 꾸준히 보내고 있는가에 수렴합니다.

나는 열심히 살기로 했다

발 행 | 2022년 12월 1일
저 자 | 김석욱
펴낸곳 | 한의빌더
이메일 | kswookck@naver.com
가격 | 12,000원

ISBN | 979-11-965601-7-1(03190)